La grande guerre des poireaux

Christian Grenier
Illustrations de Nicolas Julo

La grande guerre des poireaux

RAGEOT

À Laura.

Une version précédente a été publiée
sous le titre *La guerre des poireaux*.

Cet ouvrage a été imprimé sur un papier
issu de forêts gérées durablement,
de sources contrôlées.

Certifié PEFC

Ce produit est issu
de forêts gérées
durablement et de
sources contrôlées.

PEFC™

10-31-2772   pefc-france.org

Couverture : Nicolas Julo.

ISBN : 978-2-7002-3801-3
ISSN : 1951-5758

Lucas et les poireaux

Lucas n'aimait pas les poireaux.

En vinaigrette, en soupe ou gratinés au four, il en détectait l'odeur à dix mètres. Sa hantise du poireau était si grande qu'il parvenait à stopper net ses fous rires en classe rien qu'en pensant : « Il y aura des poireaux au dîner ! » Prononcer le mot *poireau* suffisait à lui lever le cœur.

Oui, Lucas détestait les poireaux.

Mais sa mère aimait les poireaux. Son père aimait les poireaux. Et Camille, sa sœur aînée, en raffolait. Du moins c'est ce qu'elle prétendait.

En vérité, Lucas soupçonnait sa sœur d'aimer moins les poireaux qu'elle ne l'affirmait. Mais Camille était capable de manger n'importe quoi pour contrarier son frère.

Si la famille Pomart avait habité en ville, le problème du poireau ne se serait pas posé. Mais voilà : les parents de Lucas vivaient en Picardie, dans un village en étoile traversé par deux départementales. Et derrière chaque maison se cachait, à l'abri des regards, un magnifique jardin.

Lucas aurait tant aimé que ses parents aient une pelouse avec une aire de jeux ! Il enviait en secret Bérénice, la fille de l'instituteur, qui passait ses mercredis à jouer au badminton, chahuter avec ses frères dans la piscine gonflable et s'entraîner au minigolf sur un carré de gazon.

Plusieurs fois, Camille et Lucas s'étaient mis d'accord pour convaincre leur père :

– Dis, papa, quand est-ce qu'on aura droit à un coin de pelouse ?

– À l'automne ! promettait M. Pomart.

Ou bien il affirmait :

– Si les navets ne donnent pas cet été…

Mais il n'en faisait rien. Parce que M. Pomart était un fanatique du jardinage. Il avait transformé ses mille mètres carrés de terrain en mille mètres carrés de potager.

Chef de rayon à Biocoop, la grande épicerie solidaire d'Abbeville, il était un inconditionnel de l'agriculture biologique et consacrait ses jours de liberté à aligner les planches de carottes, butter les pommes de terre, sarcler les alignements d'échalotes, épier la croissance de ses salades…

Et repiquer ses poireaux.

Mme Pomart travaillait à domicile. Elle repassait draps, nappes et serviettes pour l'hôtel-restaurant du bourg voisin et chaque jour demandait à son mari, lorsqu'il rentrait du travail :

— Henri, tu iras me cueillir de l'oseille, des radis et un petit kilo de haricots verts ? Ah… et des poireaux !

Leurs invités s'exclamaient régulièrement :

– Quelle chance vous avez de manger des légumes aussitôt après les avoir cueillis !

Lucas, lui, rêvait de vivre en ville avec un père qui aurait passé ses week-ends devant la télé ou l'ordinateur, et emmené ses enfants au Mac Do. Hélas, M. Pomart ne jurait que par le grand air et les produits frais.

Le soir, Lucas espérait que sa mère, à court de légumes, ouvre enfin l'une de ces boîtes de conserve qu'elle gardait au fond d'un placard (au cas où l'explosion d'une centrale nucléaire aurait pollué toute la région).

Il aurait donné une fortune pour manger l'un de ces « cordons bleus » surgelés ou ce fabuleux confit en boîte que l'oncle Louis ouvrait parfois quand la famille lui rendait visite à l'improviste.

Mais chez les Pomart, les surgelés étaient rarissimes et les conserves souvent jetées avant même que la date de conservation soit passée.

– Alors pourquoi tu en achètes ? reprochait Lucas à sa mère.

– C'est une roue de secours. Aucazou.

Depuis la menace du changement climatique, *aucazou* était l'expression préférée de ses parents. On recueillait l'eau de pluie dans une citerne *aucazou* ; on conservait la cuisinière à bois *aucazou*… Aucazouquoi ? se demandait Lucas. Jamais le magasin Carrefour n'avait été en rupture de stock d'eau minérale ou de carburant !

L'été dernier, la famille Pomart avait passé quinze jours à Dortmund, chez des cousins allemands. Là on leur avait servi du concombre et des tomates au petit-déjeuner ! Ce régime avait séduit les parents de Lucas. À leur retour en France, il avait craint que sa mère, le matin, ne lui serve désormais des poireaux avec son chocolat au lait.

De son côté, Mme Pomart cultivait elle aussi certains principes, ses enfants devaient goûter un peu de tout ce qui était servi à table. Quand il y avait des betteraves rouges en entrée, Lucas faisait la grimace ; mais il en acceptait une cuillerée sans rechigner. Il les mangeait en fermant les yeux, se persuadant qu'il s'agissait de glace au cassis.

En général, les betteraves finissaient par passer.

Pour les poireaux, il avait tout essayé.

En vain.

Comble de malchance, pour cuisiner les poireaux sa mère faisait preuve d'une imagination débordante. Elle les accommodait à toutes les sauces.

— Il faut manger des poireaux, affirmait-elle. Ça fait grandir.

Lucas ne comprenait pas pourquoi il grandissait si lentement. À dix ans, combien de poireaux devrait-il encore ingurgiter avant d'atteindre la taille de son père?

À table !

Ce soir d'octobre, Lucas était de mauvaise humeur. Dès la sortie de l'école, la pluie s'était mise à tomber, et il avait oublié de prendre son imperméable.

– C'est bête que tu n'aies pas pensé à l'emporter ! répétait sous son parapluie Camille, qui était passée chercher son frère en descendant du bus.

Camille, elle, pensait toujours à tout. Élève dans un collège d'Abbeville, elle préparait ses affaires de classe la veille au soir et rangeait même sur un cintre les vêtements qu'elle mettrait le lendemain.

Avoir une sœur si méticuleuse était décourageant.

La journée de Lucas avait été déprimante. Il s'était trompé deux fois en récitant la table de neuf ; et le maître avait donné à la classe une récitation particulièrement stupide à apprendre pour le lendemain :

Odeur des pluies de mon enfance,
Dernier soleil de la saison,
À sept ans, comme il faisait bon
Après d'ennuyeuses vacances
Se retrouver dans sa maison...

Lucas avait publiquement soutenu que la pluie n'avait pas d'odeur, qu'on voyait souvent le soleil en automne et que les vacances étaient toujours trop courtes. Lui, il n'était jamais content de rentrer !

La classe avait bien ri, M. Fuzellier le premier. Bérénice avait démoli son argumentation en expliquant le poème d'une façon très fine. Lucas s'était senti humilié, surtout pendant la récréation, quand elle avait déclaré, en désignant les nuages qui s'amoncelaient à l'horizon :

– Regarde bien, Lucas, c'est le dernier soleil de la saison !

À présent, il était trempé comme une soupe. Il s'essuya les pieds sur le racloir métallique et entendit sa mère lui crier depuis la cuisine :

– Enlève tes chaussures avant de rentrer ! File en chaussettes jusqu'à la salle de bains et mets tes vêtements dans la baignoire !

Lucas s'arrêta sur le seuil, frappé par l'odeur.

– On mange encore des poireaux ! s'exclama-t-il, indigné.

Il devinait toujours ce qui mijotait pour le dîner. Il avait souvent étonné ses parents en annonçant, la porte à peine ouverte : « Ce soir, on mange du chou-fleur ! » ou : « Il y a des côtes de porc au déjeuner ! » Il reconnaissait le fumet d'un civet de lapin depuis la rue et discernait l'odeur des artichauts toutes portes fermées.

Il se précipita dans la cuisine.

C'était bien ce qu'il redoutait...
Mme Pomart épluchait des poireaux, tirant
du bout de son couteau de longues fibres ver-
dâtres vers le nœud blanc du pied.

Il sentit monter des larmes de colère. Sa
mère pleurait aussi, c'était bien fait pour elle !

– Maman, glissa Camille à voix basse,
Lucas ne s'est pas déchaussé. Et il a laissé
plein de boue sur le carrelage.

– Toi, ma vieille, tu vas me payer ça !

Il bondit sur sa sœur qui s'esquiva dans la
salle de bains où elle s'enferma à clé.

– Camille ! cria Mme Pomart. Ne joue pas
avec les portes ! Et toi, Lucas, va te changer
tout de suite !

– Je ne peux pas ! Camille...

– Ne mets pas tout sur le dos de ta sœur.
Dépêche-toi !

La rage au cœur, il retraversa la salle de séjour en laissant de superbes traces de son passage puis, en attendant que Camille quitte la salle de bains (elle pouvait y rester une demi-heure), il s'enferma dans les toilettes. Ça tombait bien, il y trouva le *Titeuf* qu'il avait commencé à lire le matin même.

Plongé dans sa BD, il n'entendit pas sa sœur sortir mais il sursauta au son de la voix de sa mère :

– Henri! Tu irais me chercher encore deux ou trois poireaux?

Il faillit lui crier : pourquoi pas deux ou trois kilos! En sortant, il aperçut des traces parallèles aux siennes, celles des bottes que son père avait enfilées pour aller au jardin.

– Mais à lui, bougonna-t-il, on ne dit jamais rien.

Au bout du compte, Mme Pomart ne dit rien à personne. Elle passa l'éponge (ou plutôt la serpillière) et oublia Lucas qui resta cloîtré dans sa chambre.

C'est la guerre

— 'soir, papa, fit Lucas.

M. Pomart chatouilla l'oreille de son fils avec sa barbe et s'exclama :

— Magnifique ! Voilà un jeune homme qui sent bon le savon frais !

— Tu t'es lavé les mains ? demanda Camille d'une voix un peu trop forte.

— Les mains, les pieds et les oreilles, ma vieille. J'ai même révisé ma table de neuf, appris ma récitation et préparé mes affaires pour demain.

Incroyable, le nombre de justifications qu'il fallait fournir pour se mettre à table ! Et tout ça pour manger des poireaux…

Lucas prenait son mal en patience. Quand il serait grand, il ferait tout ce qu'il voudrait ; il mangerait des sorbets au citron comme hors-d'œuvre, des glaces double chocolat en guise de plat principal et des tranches napolitaines pleines de colorants pour le dessert. Et quand ses parents lui rendraient visite dans son appartement (car il habiterait en ville), il ne leur servirait que des plats avec des poireaux (des plats préparés, achetés en grande surface) et lui n'en mangerait pas.

Il renifla avec méfiance son assiette de vermicelle. Aux yeux – ou plutôt au nez – de Lucas, les soupes au vermicelle étaient toujours suspectes. En général, Mme Pomart utilisait comme eau de cuisson celle des asperges ou des haricots verts. Et il n'était jamais sûr de ne pas avoir affaire à un bouillon dans lequel avaient cuit des poireaux.

Lucas goûta, évitant de prononcer l'une des deux phrases : « J'aime pas » ou « J'ai pas envie », qui entraînaient aussitôt de la part de son père une réplique du genre : « Dans la vie, on fait rarement ce dont on a envie ! »

D'ailleurs cette soupe était plutôt bonne. Cependant, il risqua :

– Maman, pourquoi tu ne fais jamais de soupes en sachet ?

– Tu as raison ! soupira sa mère. Je passerais moins de temps à éplucher des légumes. Et j'aurais moins la soupe à la grimace.

– Les légumes des soupes en brique ont été cultivés avec des engrais industriels, affirma M. Pomart.

– Et les soupes en sachet ?

– Elles sont pleines de colorants et de conservateurs. Oh, elles n'ont pas mauvais goût mais tu t'empoisonnes lentement.

C'était une sacrée malchance que les poisons soient si bons, et que les légumes bio soient si difficiles à avaler !

– Plus tard, ajouta M. Pomart, quand la terre sera surpeuplée et qu'on survivra grâce aux algues marines, tu regretteras les poireaux de ton père...

Plus tard, toujours plus tard ! La vie était mal faite : il fallait passer son enfance à supporter des choses désagréables et sa vie d'adulte à regretter de n'avoir pas profité de son enfance.

Lorsque sa mère posa sur la table le plat de légumes, il eut un mouvement de recul.

— Qu'est-ce que c'est ?

— Un rata de pommes de terre.

Il désigna les légumes verts informes glissés entre les pommes de terre.

— Ça sent les poireaux !

— *Ce sont* des poireaux, confirma M. Pomart.

— Alors pourquoi maman appelle ça un rata de pommes de terre ?

— Parce qu'il y a plus de pommes de terre que de poireaux.

— Mais les poireaux ont plus de goût que les pommes de terre !

— Henri, coupa Mme Pomart, n'essaie pas d'avoir le dernier mot avec ton fils. De toute façon, il goûtera une cuillerée de ce rata, quel que soit son nom !

— Tu n'en avais encore jamais fait.

— Mais si, assura Mme Pomart. Quand tu étais petit, tu en mangeais sans rechigner.

– C'est peut-être parce que tu m'en as trop donné quand j'étais petit que je ne les aime plus ?

– Non, affirma Mme Pomart. C'est parce que tu as changé.

– D'accord, j'ai changé ! Et alors ? Toi, depuis ma naissance, tu ne supportes plus le café. Et tu n'en bois plus.

– C'est à cause de ma grossesse. Il arrive qu'une femme enceinte ait certains dégoûts. Souvent, ils disparaissent après la naissance du bébé.

– Mais chez toi, maman, ça n'a pas disparu ?

– Non. Je ne bois plus de café depuis dix ans.

– Et personne ne t'oblige à en boire…

– Au prix du café aujourd'hui, ce serait plutôt un avantage, soupira M. Pomart qui voyait où son fils voulait en venir.

– Les poireaux aussi coûtent cher, tu le dis toi-même.

– Oui. Mais les poireaux sont bons pour la santé ! décréta M. Pomart en haussant le ton. Tandis que le café est un excitant dont on peut se passer.

– Alors pourquoi tu en bois ?

Excédé, M. Pomart repoussa son assiette et se tourna vers sa femme :

— Tu as raison, Geneviève. J'ai tort de discuter avec lui.

— Et si j'attendais un enfant, moi aussi ? plaisanta Lucas.

— C'est peu probable, grommela M. Pomart. Si un garçon de dix ans pouvait avoir un enfant, on en aurait entendu parler.

Son père savait tout sur tout. Quand il se connectait à Internet, c'était souvent sur Wikipédia, du côté des rubriques géographie, histoire ou botanique. Lucas se demandait d'ailleurs pourquoi il n'avait jamais participé à un jeu télévisé. Il avait réponse à tout, surtout question déchets nucléaires, diététique ou environnement.

Mme Pomart servit à Lucas une pleine cuillerée de rata.

— Un peu moins, maman, s'il te plaît.

— Ni plus ni moins. Et pas question de discuter.

Un soir, Lucas avait déclaré cette pratique *antidémocratique*. Un mot dont le maître avait donné la définition le matin même.

Hélas, après un rapide premier tour, Lucas n'avait obtenu qu'une seule voix antipoireau : la sienne.

Lucas sélectionna les morceaux de poireaux dont il décora le bord de son assiette. Pour en avoir plus vite fini, il essaya de les avaler d'un coup, avec une bonne portion de pommes de terre. Mais les pommes de terre avaient pris le goût du poireau. C'était la recette la plus sournoise que Mme Pomart ait jamais confectionnée.

– Un plat tout simple…

– Et vraiment délicieux, appuya son père.

– Cette année, tu as bien réussi tes pommes de terre.

– J'en ai ajouté trois rangées.

– Nous ne serons pas obligés d'en acheter, comme l'an dernier.

– Celles-là, c'étaient de vraies pommes de terre à cochon ! insista Camille.

Comment sa sœur pouvait-elle identifier deux espèces de pommes de terre, elle qui n'aurait pas reconnu une choucroute d'un pot-au-feu ? Lucas, lui, avait le palais fin et le goût sûr ! Par exemple, il avait constaté que les purées de l'oncle Louis (des flocons instantanés) étaient nettement meilleures que celles de sa mère.

Bon. Les poireaux étaient avalés. Restait à faire passer leur goût. Lucas était sûr qu'un Pepsi bien frais aurait été mille fois plus efficace que de l'eau. Mais son père interdisait formellement tout ce qui ressemblait de près ou de loin à du soda. Une stupide histoire de E 124 et de gaz artificiels...

– Ah, s'il n'y avait pas les taupes !

Le problème de M. Pomart, cette année, c'étaient les taupes. L'an dernier, il avait lutté contre la sécheresse, l'année précédente contre les pucerons.

– Sans compter les campagnols et les surmulots !

Lucas jugeait plutôt sympathiques ces discrètes bestioles qui grignotaient en douce les carottes par la pointe, laissant hors de terre de gros tubercules prometteurs.

Cette année, chaque matin, cinq ou six mottes de terre s'ajoutaient aux monticules qui boursouflaient déjà le jardin.

– Je vais finir par acheter des pièges, déclara M. Pomart.

– Pourquoi tu ne l'as pas fait avant ? demanda Lucas.

– Parce que même les bêtes nuisibles contribuent à l'équilibre écologique. Les taupes abîment le potager mais tuent les insectes qui mangent mes choux et mes salades.

– Alors, il ne faut pas tuer les taupes !

– Sauf si elles deviennent trop nombreuses. Elles envahissent mon potager !

– Parce qu'elles y trouvent les plus beaux légumes du village ?

– Non. Parce que la terre n'y est pas empoisonnée par les engrais chimiques, comme dans certains autres jardins. Je vais devoir me résoudre à imiter nos voisins…

– Utiliser des engrais chimiques ?

– Non : tuer les taupes !

Lucas fit la moue. Il lui semblait que l'équilibre écologique aurait été mieux respecté si son père avait laissé vivre les taupes et sacrifié ses légumes. Surtout ses poireaux.

— Ah, murmura M. Pomart, ce serait trop beau si l'univers pouvait se passer des taupes et des moineaux !

Lucas faillit ajouter : « Ce serait surtout trop beau s'il existait un univers sans poireaux ! » Mais il se retint à temps. Parce qu'une idée folle avait germé dans son cerveau...

Son père allait lutter contre les taupes ? Eh bien lui lutterait contre les poireaux !

Du coup, il acheva ses pommes de terre avec entrain. Tandis qu'il échafaudait divers plans de bataille, il songea qu'il mangeait peut-être le dernier rata de sa vie.

Il lui trouva la saveur d'un banquet d'adieu.

C'était décidé : la grande guerre des poireaux avait commencé !

Votre plus cher désir ?

Le lendemain, mardi, était le jour du texte libre.

– Texte libre, tu parles ! bougonna Lucas en direction de son voisin Léo. Fuzellier nous dicte le sujet ! On n'est jamais libre d'écrire ce qu'on veut !

– Évoquez votre plus cher désir ! dicta l'enseignant.

Perplexe, Lucas mâcha son stylo-bille en observant ses camarades. Avec un tel sujet, Camille parlerait sûrement du lycée Albert-Camus, où elle rêvait d'entrer.

Léo, lui, écrirait sans doute que son plus cher désir était de devenir rugbyman. « Rugbyman ou boucher-charcutier, comme mon père », avait-il un jour confié à Lucas.

Bérénice, elle, était déjà penchée sur sa feuille. Il se demanda quels pouvaient être ses désirs.

Parfois, il se sentait attiré par ses longs cheveux blonds, ses yeux clairs, presque limpides, ses joues très pâles et très lisses ; et d'autres fois, il la détestait vraiment avec ses airs supérieurs. Il suffisait qu'il pense blanc pour qu'elle dise noir. Bérénice était imbattable dans toutes les matières. Lucas, lui, était un peu fâché avec les chiffres.

– Eh bien, Lucas, tu rêves ?

– Non, m'sieur. J'réfléchis.

Il mordit son stylo de plus belle. Son plus cher désir... un trampoline ? Une pelouse qui lui permettrait de jouer au badminton sans être obligé d'aller dans la prairie des fermiers voisins où paissaient des vaches ? Bah, ça n'intéresserait pas Fuzellier. Devenir riche et célèbre ? Mais comment écrire dix lignes là-dessus ?

Soudain, il se frappa le front. Comment n'y avait-il pas pensé plus tôt? Fébrile, il se mit à rédiger :

Mon plus cher désir, ce serait de vivre dans un monde sans poireaux. Les poireaux me gâchent l'existence. À chaque repas, j'ai peur d'en trouver dans mon assiette et d'être forcé d'en manger. Le poireau, c'est...

Une chance que le maître autorise (et même encourage !) l'utilisation du dictionnaire.

Après l'avoir consulté, il ajouta :

Le poireau, c'est ma préoccupation, mon cauchemar, ma hantise. Je l'ai en aversion, en répulsion et en obsession.

Le poireau est mon pire ennemi. Ma bête noire et ma phobie.

Ah oui, vraiment, sans les poireaux, le monde serait drôlement plus beau !

Lucas se relut, et jugea son devoir d'une qualité exceptionnelle. Un peu lyrique, peut-être, surtout vers la fin. Mais le sujet s'y prêtait tellement ! Nul doute que le lendemain, Fuzellier lirait son texte devant la classe.

Stop ! Il n'en était pas question.

La lecture publique d'un tel devoir constituerait l'aveu de sa future culpabilité.

À contrecœur, il traça en haut de sa feuille, à droite, une croix au feutre rouge : un code entre les élèves et l'instituteur qui saurait que ce devoir ne devait pas être lu en classe. Malgré tout, une telle rédaction représentait une imprudence : plus tard, le maître pourrait s'en souvenir.

Un prof était-il tenu au secret professionnel ? Lucas relut son devoir une dernière fois. Puis, héroïquement, il déchira sa feuille et remit une copie blanche. La disparition prochaine du poireau valait bien le sacrifice d'un zéro.

Le soir, Lucas acheva ses devoirs très vite pour faire un saut dans le potager avant le dîner.

Afin de ne pas éveiller les soupçons, il n'y resta qu'une minute, ce n'était pas sa promenade favorite. M. Pomart, qui rêvait de transformer son fils en apprenti jardinier, lui avait assez reproché de ne pas s'intéresser aux légumes.

Première constatation : les poireaux en terre dégageaient peu d'odeur. Il pourrait les approcher sans dégoût. Mais en apercevant les longues files en ordre de bataille, plantées impeccablement tous les quinze centimètres, il comprit que la lutte serait longue.

Les taupes avaient commis peu de dégâts. Ces alliées invisibles lui seraient d'un appui dérisoire. Il devrait agir seul.

Ce serait difficile. Quand M. Pomart n'était pas dans son jardin, il travaillait à Biocoop. Et quand il se trouvait dans son épicerie équitable, Lucas était à l'école.

Sauf le mercredi.

Au dîner, on mangea le reste du rata de la veille. Comme il n'y en avait pas assez pour tout le monde, Lucas échappa aux poireaux ; exceptionnellement, Camille et lui eurent droit à des pommes de terre sautées.

Face à cette attention, Lucas eut des remords à la pensée de mettre son plan à exécution le lendemain. Mais il se ressaisit rapidement, s'il n'agissait pas ce mercredi il y aurait du poireau à tous les repas de la semaine. Y compris à midi. Car Lucas avait la malchance d'avoir une mère qui travaillait à domicile. Et comme il habitait à deux cents mètres de l'école, il ne restait pas à la cantine.

Il eut du mal à s'endormir. Et dans ses rêves, dressés comme des soldats, les poireaux avançaient vers lui malgré le feu des obus qui soulevaient des mottes de terre semblables à celles que font les taupes...

Un essai difficile

Le mercredi matin, la chance fut avec lui.

Sophie, la fille de leurs voisins fermiers, était venue chercher Camille pour qu'elles travaillent ensemble à leur exposé d'histoire.

Travailler?

Lucas avait des doutes.

En juillet, les parents de Sophie avaient installé une grande piscine gonflable derrière l'étable. Les deux filles en profitaient pour se baigner et se prélasser au soleil.

Mais ce matin-là, Lucas ne les entendit pas s'éclabousser en riant aux éclats…

Quant à la maison, elle était étrangement calme. On n'entendait ni le froissement familier du fer sur le tissu ni le pschuiiit de la centrale à vapeur. Il jeta un coup d'œil dans l'atelier de sa mère, il était vide.

Mme Pomart était sûrement partie faire les courses.

Lucas fila au fond du potager où la dernière rangée de poireaux, bien entamée, n'en comportait plus qu'une dizaine.

— Dix en plus ou en moins, murmura-t-il, ça ne se verra pas.

Il saisit à deux mains le poireau de la dernière rangée, qui résista. Il tira plus fort. Ses doigts glissèrent, mais le poireau céda enfin, en se déchirant à ras de terre.

— Zut ! Je n'ai arraché que le vert, il va repousser.

Il courut jusqu'à la remise attenante au garage et saisit la grosse bêche.

Il fallait se dépêcher. Il creusa d'abord trop loin du pied des poireaux, puis trop près, si bien qu'il en massacra deux ou trois avec le tranchant de la bêche. La terre, molle et grasse, restait collée au bout de l'instrument, qu'elle alourdissait.

Trempé de sueur, Lucas rassembla ses dix poireaux dans l'allée. Le coin du potager piétiné était un vrai champ de bataille.

Comment faire disparaître les traces de son forfait ? Il égalisa la terre, nettoya la bêche à l'aide d'un vieux chiffon avant de la remettre en place. Puis il se lava les mains au robinet extérieur.

Restait à se débarrasser des poireaux.

Grave problème. Il n'y avait pas encore réfléchi.

Au même instant, la porte d'entrée claqua et il demeura pétrifié, son bouquet de poireaux en main.

— Lucas ? Tu es là ? fit la voix de sa mère.

— J'arrive ! répondit-il depuis la remise.

Il glissa précipitamment son butin sous la bâche qui recouvrait les bûches. Personne n'irait fourrer son nez là, on ne se servait de la cuisinière à bois qu'à l'approche de l'hiver ou en cas de panne de la chaudière.

Dès qu'il posa le pied dans le vestibule, sa mère s'écria :

— Qu'est-ce qu'il t'est arrivé ?

Il s'était essuyé les mains sur son pantalon.

— Et tes chaussures ?

La terre les entourait d'une grosse croûte noire.

– Je… j'ai été faire un tour dans les champs et je suis tombé.

– Tu n'aurais pas pu enfiler ton vieux jogging pour sortir? Va changer de pantalon. Et nettoie tes chaussures.

Sa mère avait raison. Il devrait réserver un uniforme pour ce genre d'expédition.

L'après-midi, tandis que Mme Pomart repassait dans sa lingerie et que Camille était connectée sur Internet, Lucas annonça qu'il allait lire dans le jardin.

Il prit un siège pliant, le livre qu'il avait commencé la veille – *La grande évasion des cochons* – et il s'installa à dix mètres des poireaux. Du coin de l'œil, il se mit à les compter.

Hélas, il y en avait tant que sa vue se brouillait.

Il compta les rangées. Il en dénombra treize. Avec trente-deux poireaux par rangée…

Il arrondit à trente puisque vingt-six poireaux seraient sûrement consommés avant mercredi prochain. Restait à effectuer la multiplication. Un travail délicat sans calculette, surtout avec deux fois deux chiffres.

– Voyons, murmura Lucas, si j'avais dix rangées sur trente, cela ferait trois cents poireaux. Auxquels j'ajoute trois fois trente, c'est-à-dire quatre-vingt-dix poireaux...

Il resta stupéfait. Était-il possible qu'il y ait là, à ses pieds, près de quatre cents poireaux, sur moins de quarante mètres carrés ?

Il refit ses calculs. Afin d'en avoir le cœur net, il revint dans sa chambre pour effectuer l'opération avec sa calculette. Aucun doute : il y avait encore dans le jardin très exactement quatre cent seize poireaux !

Certes, son père fournissait à l'épicerie équitable une partie de sa production. Mais à raison de dix poireaux par semaine, il lui faudrait près d'un an pour en débarrasser le jardin ! Un an... alors que, dans six mois, il en replanterait d'autres !

« C'est bien ce que je pensais, calcula Lucas. Nous mangeons au moins dix poireaux par semaine ! »

Cette constatation enracina sa détermination. Il décréta à mi-voix :

– Pour la peine, j'enlèverai dix poireaux par jour !

– Qu'est-ce qu'il y a ce soir à la télé ? demanda-t-il innocemment au cours du dîner.

– Un film, répondit son père. Mais tu as classe demain et tu dois te coucher tôt.

Un film ? Parfait. Ses parents ne viendraient pas le chercher dans sa chambre, comme ils le faisaient parfois pendant un documentaire. Un film, c'était le programme idéal pour organiser une expédition nocturne dans le jardin…

Expéditions périlleuses

Quand le générique du film retentit, Lucas, resté dans sa chambre, ouvrit son cahier de croquis pour tuer le temps.

Depuis le mois dernier, il s'était spécialisé dans les plans de machines fantastiques. Il passait des heures à dessiner des soucoupes volantes à vapeur, des fusées à moteur photonique et des super-tanks garnis d'armes compliquées.

À neuf heures, il se leva, enfila ses chaussures et se glissa par la fenêtre. Puisqu'une allée de ciment courait tout autour de la maison, il ne se salirait pas les pieds en rejoignant la remise.

La nuit était fraîche et étoilée, le village silencieux. Seul Finaud, le chien de Bruno (dit Barbe Bleue, leur voisin retraité) répondait aux aboiements de Diane, l'épagneule des fermiers de la route d'Abbeville.

Lucas trouva beaucoup de choses sous la bâche : la lampe de poche qu'il y avait déposée l'après-midi, un vieux survêtement qui avait appartenu à Camille et une provision de chiffons empruntés dans l'une des armoires à linge de sa mère.

Il ôta son pyjama et enfila le survêtement qui sentait le bois mouillé, puis il chaussa les bottes en caoutchouc de son père et sortit dans la nuit vers les longues rangées de poireaux immobiles.

Son cœur cognait dans sa poitrine, un peu comme le jour où il avait sauté pour la première fois du plongeoir de trois mètres. À chaque pas, ses bottes faisaient un drôle de « floc » et il devait recroqueviller ses orteils pour ne pas les perdre.

Arrivé devant les poireaux, il jugea prudent de ne pas allumer sa lampe de poche. Une fois accoutumé à l'obscurité, il se mit au travail.

Dans sa hâte, il arracha douze poireaux en cinq minutes. Un vrai record ! Il se promit de faire mieux le lendemain et gagna la remise, où les douze poireaux rejoignirent sous la bâche ceux de l'après-midi.

En sueur mais satisfait, il s'offrit le luxe de retourner au fond du jardin avec un râteau pour égaliser la terre.

Par l'une des fenêtres entrouvertes de la maison lui parvenaient le son de la télévision et les rires de ses parents.

Il était très content de lui, tout s'était passé sans accroc.

La fin de l'opération lui prit plus de temps : remettre les vêtements en place, nettoyer la bêche et se laver au robinet extérieur. Il regagna sa chambre peu avant dix heures.

Il s'endormit avec la satisfaction du devoir accompli... et se réveilla le lendemain avec un rhume carabiné.

– Je me demande où tu as attrapé ça, dit sa mère en lui tendant un citron chaud et en examinant le thermomètre. 37 °C ? Rien de grave. Tu vas prendre de l'aspirine et mettre un pull-over chaud. Pas question de manquer l'école pour un petit refroidissement.

Dans la famille, on ne gardait le lit qu'à partir de 39 °C de fièvre.

Nullement découragé, Lucas repartit à l'attaque le soir même avec un pull sur son pyjama.

Le dimanche suivant, l'oncle Louis était invité à déjeuner. Après avoir rangé sa moto dans le garage, il demanda à son frère :

– Dis donc, Henri, tu ne trouves pas qu'il y a une drôle d'odeur, ici ? Viens voir…

Les jambes en coton, Lucas suivit les deux hommes.

– Eh bien ? lança M. Pomart. Ça sent l'essence et l'huile, non ?

– Non. Ça sent surtout… le poireau.

L'oncle Louis avait un flair terrible ! Lucas, lui, n'avait rien remarqué. Il est vrai que, depuis trois jours, il avait le nez complètement bouché.

M. Pomart ouvrit la porte du garage atte-nant à la remise. Lucas crut que le pot aux roses allait être découvert. Mais son père resta sur le seuil en affirmant :

– C'est la remise qui sent le poireau, Louis ! C'est normal, puisque j'y range mes outils.

Fausse alerte.

Lucas s'en tira avec une belle frousse.

L'après-midi, l'oncle Louis demanda à voir le potager. Dans la famille, c'était un rite. Certains aiment montrer leurs DVD, leurs vidéos persos ou leur dernier iPad. M. Pomart, lui, mettait sa fierté dans la qua-lité et l'ordonnance de ses légumes. Son pota-ger était sans conteste l'un des plus beaux du village et il ne détestait pas qu'on le lui rap-pelle. Chaque matin, au réveil, il arpentait ses allées à la recherche d'une limace témé-raire ou d'une mauvaise herbe.

– Une vraie armée romaine ! complimenta l'oncle Louis, admirant tour à tour les alignements de choux et de pommes de terre. Pas un pied de céleri qui dépasse. Et les poireaux, cette année, combien en as-tu plantés ?

– Près de cinq cents. Quarante rangées de douze. Nous n'en manquerons pas cet hiver !

– Certaines rangées n'ont que onze poireaux, observa au bout d'un moment l'oncle Louis qui avait la vue aussi exercée que l'odorat.

– Vraiment ?

Tandis que les deux hommes recomptaient les rangées, Lucas sentit une boule se former dans son estomac. Il réprima l'envie de crier à son père :

« Tu t'es trompé ! Il y avait treize poireaux par rangée au départ ! »

Mais il aurait dû expliquer que, depuis trois jours, il était parvenu à arracher trente-six poireaux.

– Bizarre, se contenta de dire M. Pomart. J'ai dû mal compter en les repiquant.

Le soir même, à neuf heures et demie, Lucas se rendit dans la remise.

Plus question d'arracher de nouveaux poireaux. La priorité était de se débarrasser de ceux qu'il avait rassemblés sous la bâche.

Comment faire disparaître trente-six poireaux sans laisser de trace ? Si Lucas détestait les poireaux, il respectait la nourriture et il répugnait à détruire six ou sept kilos de légumes frais.

Les donner ? Pas question, il se ferait aussitôt repérer.

Les replanter ailleurs ? Ce n'était pas agir pour la disparition de l'espèce. Non, il fallait se résoudre à les exterminer. N'avait-il pas vu, aux infos, des agriculteurs détruire de sang-froid des tonnes de choux-fleurs, d'artichauts ou de pêches ?

Des pêches ! Ôter de la circulation trente-six méchants poireaux, c'était tout de même moins criminel que de mettre au rebut des tonnes de pêches succulentes !

Machinalement, il les aligna sur un vieux papier journal. Il en compta vingt-neuf. Stupéfait, il bredouilla :

– Impossible.

Il retourna la bâche, fouilla entre les bûches et refit ses calculs :

– Dix poireaux mercredi matin, douze mercredi soir, dix jeudi, rien vendredi hélas (il s'était endormi), et hier, seulement quatre – un bruit suspect dans la maison l'avait interrompu et il avait regagné sa chambre à la hâte en abandonnant sa prise sur place.

Pas d'erreur, cela faisait bien trente-six poireaux. Sept manquaient à l'appel. En avait-il oublié dans une allée ?

Un moment, il soupçonna sa sœur de l'avoir espionné. Aurait-elle éventé son manège ? Oh, Camille n'aurait pas dénoncé son frère, mais lui jouer un mauvais tour, c'était bien son style.

Qu'importe ! L'essentiel était de se débarrasser au plus vite des poireaux qui parfumaient la remise.

Muni de son volumineux paquet, Lucas traversa la route et gagna la fermette de Mme Dijon.

Le village était silencieux. Le cœur battant, il ouvrit la grille en bois et se glissa sur la pointe des bottes jusqu'aux trois grands clapiers superposés au fond de la cour.

– Petits, petits, murmura-t-il.

Ils étaient là, boules de poils immobiles, tassés sur leurs litières : des lapins superbes, dont il sentait la chaleur rien qu'en approchant la main du grillage.

Après s'être débattu avec le système d'ouverture des portes, il parvint à les entrebâiller sans bruit. Les lapins faisaient crisser leurs incisives dans leur sommeil.

– Tenez, voilà du rab ! chuchota-t-il.

Quand les poireaux leur passèrent sous le nez, les lapins firent des bonds désordonnés, roulèrent des yeux blancs effarés et aplatirent leurs oreilles. Enfin, après s'être agités au fond de leur clapier, ils s'approchèrent timidement de ce supplément inespéré.

– Pourvu qu'ils aiment ça !

Ils aimaient.

Pas étonnant, les lapins auraient mangé n'importe quoi, c'est fou ce qu'ils pouvaient avaler en une journée...

Après avoir flairé les poireaux avec une méfiance gourmande, ils les attaquaient par le bout vert, en les grignotant millimètre par millimètre.

S'il avait osé, Lucas les aurait gavés comme des oies, en leur enfournant les blancs entre les dents.

– Ma parole, ils les dégustent ! C'est la poubelle idéale.

Si leur appétit était grand, leur rythme était lent. Lucas se demanda combien ces lapins-là mangeaient de kilos à l'heure. Pressé par le temps qui passait, il enfourna les poireaux dans les clapiers qu'il eut beaucoup de mal à refermer : il y avait plus de poireaux que de lapins là-dedans…

– Pourvu qu'ils les finissent et que ça ne leur donne pas la colique ! murmura Lucas en regagnant sa maison dans la nuit.

Le lendemain soir, après avoir arraché ses poireaux quotidiens, Lucas, plutôt que les stocker dans la remise, alla directement porter son butin aux lapins de Mme Dijon. Ils semblaient l'attendre ; plusieurs jouaient du museau contre le grillage comme pour lui reprocher son retard.

Aucune trace des poireaux précédents.

– Tout de même, vingt-neuf poireaux ! leur jeta Lucas.

Il leur aurait presque reproché leur appétit. Il observa le va-et-vient incessant des incisives avant de regagner la maison. Hélas, ses expéditions l'occupaient près d'une heure chaque nuit. Les lapins engraisseraient vite, ils tiendraient peut-être le rythme... mais pas lui.

En contournant le pignon de la maison, il s'arrêta devant le vieux puits ; voilà des années qu'on ne s'en servait plus. On l'avait recouvert d'un grillage puisque l'eau n'était plus potable et que la nappe souterraine s'était presque tarie.

– Exactement ce qu'il me faut ! chuchota-t-il. Ça va me simplifier la tâche.

Il retourna arracher cinq poireaux supplémentaires au potager et revint au puits. Trois maisons plus loin, le chien de Barbe Bleue se mit à aboyer. La sueur au front, Lucas écouta pendant une longue minute les échos se taire dans la nuit.

Alors il glissa un à un les poireaux dans les mailles du grillage. Satisfait, il repartit se changer dans la remise et alla se coucher.

Il avait trouvé la cachette idéale. Car un jour ou l'autre, les lapins l'auraient trahi. Le puits, lui, resterait muet comme une tombe !

— Mais à force d'y jeter des poireaux, s'inquiéta Lucas à mi-voix une fois allongé, il va sûrement finir par dégager une odeur !

Les odeurs de poireau l'obsédaient. Depuis quelques jours, il se réveillait le matin avec la désagréable impression que non seulement son pyjama, mais aussi son lit et même sa chambre tout entière sentaient le poireau…

Un moyen radical

Plusieurs jours s'écoulèrent, avec leur cohorte de soupes variées et de poireaux vinaigrette.

En classe, le maître avait abordé les fractions ; les élèves sentaient venir l'hiver grâce aux fenêtres désormais fermées et au choix des récitations. Les sujets des rédactions s'orientaient vers la neige, qu'on espérait sans y croire encore, car novembre était à peine entamé.

Le fond du potager se vidait lentement de ses poireaux, beaucoup trop lentement au gré de Lucas qui cherchait des moyens d'action plus efficaces.

Il effectuait trois expéditions nocturnes dans la semaine et avait de plus en plus de mal à se lever le matin malgré les appels de sa mère.

En classe, il piquait du nez pendant les explications de texte ou les leçons d'histoire. Bref, l'ardeur s'émoussait, la guerre s'enlisait et les poireaux lui tenaient tête.

Une nuit, après avoir rangé son survêtement boueux sous la bâche, Lucas eut l'idée d'ouvrir la vieille armoire dans laquelle son père rangeait les produits du jardin.

Il découvrit sur une étagère une boîte de carton jaune.

 DÉSHERBANT
... *Attention, produit dangereux.*
Contient du chlorate de soude.
Ne pas laisser à la portée des enfants et des animaux domestiques !

Il resta en arrêt devant la tête de mort qui surmontait le paquet. Si cette poudre tuait les mauvaises herbes, elle détruirait forcément les poireaux !

Tremblant d'excitation, il lut le mode d'emploi. Rien de compliqué. Il fallait utiliser une dose (une petite louche en plastique qu'il trouva dans le sachet entamé) pour un arrosoir de dix litres. Et surtout éviter de renverser le produit sur les vêtements ou les mains. « *Laver à grande eau la peau qui est entrée en contact avec le produit* », précisait la notice.

Enthousiasmé par sa découverte, Lucas décida d'agir sur-le-champ. Il enfila des gants de caoutchouc et, pour obtenir une efficacité maximum, il doubla la dose.

Il arrosa les deux dernières rangées de poireaux. En cas de succès, une dizaine d'opérations semblables suffirait à avoir raison de tous les poireaux...

Au retour, il ôta les gants, rinça trois fois l'arrosoir et se lava les mains au savon, à grande eau.

Dès le lendemain, il eut l'impression que les poireaux des deux dernières rangées avaient pâli.

En revenant de l'école, il constata que les poireaux qu'il avait arrosés baissaient la tête.

Le jour suivant, les quatre dernières rangées avaient jauni. Le désherbant agissait au-delà de toute espérance !

Devant la perplexité de son père, Lucas jubilait. Après une dernière offensive cette nuit, sa victoire serait complète.

Mais le soir, au dîner, il eut la plus grande peur de sa vie...

Son père avait allumé la télévision ; exceptionnellement, ils la regardèrent en mangeant, car ils s'étaient mis à table plus tard que d'habitude.

L'émission était consacrée aux conséquences des guerres.

Mme Pomart fila dans la cuisine pour ne pas voir les populations anéanties par des armes chimiques. Des escadrilles d'avions survolaient les villages et les campagnes du Vietnam, déversant du napalm sur la population et des tonnes de produits nocifs sur le sol...

– Et nous nous prétendons civilisés ? gronda M. Pomart. Aujourd'hui, ces terres sont encore stériles ! Affamer un peuple, c'est encore plus lâche que se battre contre lui ! Cette méthode était déjà celle de Buffalo Bill, qui tuait les bisons pour décimer les Indiens.

Lucas était étonné. Il pensait que Buffalo Bill était un héros de l'Ouest américain, pas un criminel.

Il avala avec difficulté une cuillerée de soupe au poireau... et jugea qu'en cas de conflit tous les moyens étaient bons !

– Le problème, ajouta son père, c'est que les mêmes moyens sont utilisés en temps de paix. Regarde, Lucas !

Il avait zappé sans prévenir sur la chaîne Ushuaïa.

– C'est un film ? demanda Camille qui espérait regarder une rediffusion de *True Blood* sur Série Club.

– Non. Un documentaire de Coline Serreau, *Solutions locales pour un désordre global*.

– C'est quoi ce délire ? grommela Lucas.

– Le délire, commenta sèchement son père, c'est celui que nous impose cette fichue société de marché. Le délire, c'est le désordre et les injustices qu'elle entraîne pour notre planète !

– Et il y a des solutions ? soupira Camille qui connaissait les obsessions de M. Pomart touchant à la biodiversité.

– Parfaitement ! approuva-t-il. On peut cultiver ses légumes dans un potager où l'on n'utilise ni pesticide ni engrais chimique…

Après un temps de silence inattendu, il ajouta :

– … ni désherbant !

L'émission évoquait la destruction massive des espaces naturels au profit d'une agriculture intensive « qui tue la terre et ruine les populations locales », affirmait un écologiste adepte de la décroissance.

– C'est quoi, la décroissance ? murmura Lucas qui avait du mal à suivre.

– Le contraire de la croissance ! jeta Camille en haussant les épaules.

– Mais c'est bien, la croissance, non ? demanda Lucas à son père qui voulait qu'on mange des poireaux pour grandir.

– Oui, admit ce dernier. Sauf si l'on est sept milliards d'individus sur une planète dont on appauvrit les sols.

– Alors la Terre risque vraiment de mourir ? s'inquiéta Lucas.

– Oui. Les usines qui fabriquaient les gaz utilisés pendant la guerre se consacrent aujourd'hui à l'agrochimique. Heureusement que des produits comme le chlorate de soude ont été interdits !

En entendant ces mots, Lucas pâlit.

– À force de saccager la nature et d'inventer des armes nouvelles, poursuivit son père, les hommes se détruisent eux-mêmes.

Sur ce sujet, il était intarissable. Cette fois, il accusa l'industrie du bois de détruire les forêts tropicales et celle des céréales de modifier les gènes de certaines graines pour les rendre plus résistantes aux pesticides. Des graines qui produisaient des plantes stériles, et qu'il fallait désormais acheter à ceux qui les fabriquaient.

Soudain, il demanda à brûle-pourpoint :

– Vous ne trouvez pas que cette soupe a un drôle de goût ?

– Non, fit Camille. Pourquoi ?

– Mes poireaux sont malades. Ils jaunissent.

Lucas faillit cracher ce qu'il avait dans la bouche. Était-il en train d'intoxiquer la famille ? Après tout, ils mangeaient des poireaux qui avaient absorbé une dose mortelle de désherbant !

Il imagina les gros titres des journaux du lendemain. « PARCE QU'IL N'AIMAIT PAS LES POIREAUX, UN ENFANT EMPOISONNE SA FAMILLE ! »

Il ferma les yeux et avala la soupe tiède ; il lui trouva un goût encore plus épouvantable que d'habitude.

Combien de temps le désherbant mettrait-il à faire effet ? Certains champignons vénéneux, il le savait, tuent à petit feu. Il fallait qu'il en ait le cœur net.

Il prétexta une envie pressante pour courir au fond du jardin. Aucun des poireaux fanés n'avait été arraché. M. Pomart avait enlevé ceux des rangées supérieures, comme à l'accoutumée.

De retour dans le séjour, il se jura de ne plus jamais toucher au désherbant.

Il acheva sa soupe. Tout à coup, elle lui parut meilleure.

Et même… presque bonne.

Le gang des poireaux

Lucas dut se rendre à l'évidence : agir seul n'était plus possible. Faire la guerre aux poireaux nécessitait des renforts.

Demander la complicité de Camille ? Il y avait bien songé. Devant l'injustice des décisions de leurs parents, ils avaient souvent présenté un front commun pour augmenter leur argent de poche, avoir plus souvent accès à l'ordinateur ou faire reculer l'heure du coucher.

Mais au sujet des poireaux, Lucas redoutait que sa sœur ne rejoigne pas son camp.

Depuis quelques mois, elle se barricadait des heures dans sa chambre, hurlait quand Lucas lui empruntait son portable, échangeait avec ses copines des SMS plus longs que des rédactions et ne supportait pas les réprimandes de sa mère concernant son maquillage, sa coiffure ou ses vêtements.

Par contre, Lucas trouverait sûrement des alliés parmi ses camarades de classe. Il décida de les questionner discrètement.

Il profita de la récréation de dix heures pour demander l'avis de Bérénice. Pas question d'entreprendre une action qu'elle aurait désapprouvée.

Rien ne se passa comme prévu. Pourtant sa question était habile :

– Bérénice, qu'est-ce que tu dirais si les poireaux n'existaient pas ?

Une lueur de malice s'alluma dans les yeux de la fille du maître. Cette question ressemblait à l'un des sujets de rédaction de son père. Elle joua le jeu aussitôt.

– Je crois que je serais malheureuse. J'aurais l'impression qu'il manque quelque chose sur la Terre.

Déçu, Lucas changea d'angle d'attaque.

– Mais en admettant qu'ils n'aient jamais existé ?

– Eh bien je les inventerais !

– Tu les inventerais ?

– Bien sûr ! Aujourd'hui, des chercheurs en agronomie créent de nouvelles espèces de fleurs, de fruits et de légumes. Ils pourraient inventer le poireau !

– C'est complètement nul ! Tu trouves ça joli, toi, un poireau ?

Quand il était petit, Lucas était fasciné par les fleurs d'artichaut. Massives, hérissées de gros poils violets, elles avaient quelque chose de monstrueux et d'extraterrestre. Mais franchement, les poireaux...

– Joli ? Non, admit Bérénice. C'est rigolo. Fier et droit comme un clown. Et puis c'est délicieux, non ?

– Parce que toi, tu aimes les poireaux ?

– J'adore ! Et je me demande ce qu'on ferait sans eux ! Songe que les paysans ont dû attendre la Révolution française pour manger des pommes de terre. Si tu supprimes des légumes au lieu d'en découvrir de nouveaux, tu vas contre le progrès !

– Le progrès, c'est les surgelés et les lyophilisés, rétorqua Lucas. Le progrès, il se moque de tes légumes démodés !

Bérénice haussa les épaules, fit volte-face et s'éloigna.

Lucas était vexé. Quelle idée aussi de questionner Bérénice ! Avant d'engager un conflit, les rois et les héros de l'Histoire demandaient-ils l'avis de leurs épouses ou de leurs copines ?

Il aborda Léo qui, du haut de ses dix ans, ne craignait pas la bagarre. Frondeur et tout en muscles, il aurait constitué un élément de choc idéal.

– Dis donc, Léo, est-ce que tu aimes les poireaux ?

– Hein ?

– Les poireaux, tu en manges souvent ?

– Pourquoi tu me demandes ça ?

– Pour rien. Pour savoir. Tu aimes les poireaux, toi?

– Il n'y en a pas souvent à la maison, avoua Léo avec, dans la voix, une nostalgie suspecte.

Poussant son interrogatoire, Lucas apprit que le fils du boucher-charcutier avait, en guise de petit-déjeuner, un sandwich au jambon, de la viande à midi et, le soir, des tripes, du pâté ou du saucisson. On était loin des cinq fruits et légumes par jour…

– Je crois que j'aimerais bien en manger de temps en temps, conclut-il.

Lucas élimina Léo et interrogea Emma.

– Ben oui, j'aime les poireaux. Pourquoi?

À chaque fois que Lucas s'informait : « Est-ce que tu aimes les poireaux? », on lui répondait invariablement : « Pourquoi? »

C'était bizarre, cette obstination à vouloir connaître les raisons de sa curiosité. Pourtant, sa question ne lui semblait pas plus stupide que celles des sondages portant sur le cartable numérique ou la prochaine expédition sur Mars.

Un matin, ses parents avaient répondu sur Internet à un sondage absurde du genre :

- *Jugez-vous que l'on voit trop souvent le Premier ministre à la télévision ?*
- *Croyez-vous au réchauffement climatique ?*
- *Avez-vous déjà voté vert ?*

Jamais ils n'avaient paru agacés ou méfiants. Jamais ils n'avaient répondu : « Pourquoi nous demandez-vous ça ? »

À contrecœur, Lucas s'adressa alors à Freddy.

Petit, les cheveux en pétard, Freddy mijotait toujours un mauvais coup. Il espionnait les filles par-dessus la porte des toilettes, se connectait en douce sur l'ordinateur de la classe, tourmentait les chiens, volait les œufs dans les poulaillers, les calculettes dans les cartables et empruntait à l'occasion une mobylette pour l'abandonner contre le mur du cimetière où il avait son repaire.

Lucas n'aurait pas été mécontent que Freddy aime les poireaux. Mais à sa question, il répondit, catégorique :

– Les poireaux ? Je déteste !

Il ajouta en désignant le local de la cantine :

– Je n'aime pas non plus les carottes, les endives et les épinards.

Ces précisions ne firent pas reculer Lucas. Trop content d'avoir enfin découvert un allié, il lui expliqua son plan :

– On va réunir tous ceux qui n'aiment pas les poireaux...

– Cool ! fit Freddy avec une lueur d'excitation dans le regard. Rendez-vous à cinq heures, au cimetière. On sera tranquilles.

Lucas était étonné que Freddy se rallie aussi vite à sa cause. Mais ce n'était pas le moment de faire la fine bouche.

– L'objectif, expliqua-t-il à voix basse, c'est d'éliminer tous les poireaux du pays...

– Cool ! approuva Freddy.

– Tu en connais d'autres, dans la classe, qui n'aiment pas les poireaux ?

– Sûr ! fit Freddy en s'essuyant le nez d'un revers de manche. Ce soir, je t'amènerai deux copains à moi. Ils sont du village d'à côté.

– Attention, prévint Lucas. Ça concerne seulement ceux qui n'aiment pas les poireaux, d'accord ?

– T'inquiète ! Ils aimeront pas les poireaux, crois-moi…

À cinq heures, Freddy arriva avec ses deux copains. Ils posèrent leurs VTT contre la grille du cimetière.

– C'est Jules et Gabin, annonça Freddy.

Gabin était le fils du ferrailleur, Lucas le connaissait déjà. Malgré ses onze ans, il manquait souvent l'école et travaillait dur, comme en témoignaient ses ongles noirs de cambouis et ses égratignures aux avant-bras.

– Salut, dit Lucas en les dévisageant.

Jules rectifia la visière de sa casquette de rappeur. Il avait le menton en galoche, des cheveux noirs frisés et la démarche chaloupée – comme tous les Maupin.

– Je suis un Maupin de Longpré, renseigna Jules par habitude.

Ces Maupin-là étaient cultivateurs et avaient onze enfants. Une fois les moissons achevées, leurs huit garçons couraient la campagne et vivaient en bohèmes. Ils ne revenaient à la ferme qu'à la tombée du jour.

Lucas considéra les deux nouveaux pendant quelques secondes mais il eut l'impression que c'était plutôt lui qui subissait un examen.

– Viens, dit Freddy. Il y en a d'autres, tu vas voir.

Il entraîna Lucas vers un amoncellement de planches disposées au-dessus de tombes bancales et moussues.

Dans ce repaire, Lucas eut la surprise de découvrir Léo.

– Je croyais que tu aimais les poireaux?

– J'ai confondu avec les asperges, avoua le fils du charcutier, embarrassé. Et puis Freddy m'a expliqué que lutter contre les poireaux était dans mon intérêt.

– Ton intérêt?

– Ben oui! Tu comprends, s'il n'y a plus de poireaux, les gens achèteront davantage de viande.

Pendant la récréation de l'après-midi, Freddy avait aussi recruté dans la cour Broquet et Julia.

Broquet (personne n'utilisait son prénom) était le mal-aimé de la classe. Malgré sa taille imposante et son double menton, il craignait les coups, avait peur des araignées et se mettait à pleurer dès qu'on lui parlait un peu fort. Lucas soupçonna Freddy d'avoir entraîné Broquet malgré lui, mais ce dernier jura qu'il avait les poireaux en horreur. Ce dégoût était très récent : Lucas avait toujours vu Broquet manger n'importe quoi n'importe quand.

Julia, elle, fut étonnée d'apprendre que le groupe rassemblerait ceux qui n'aimaient pas les poireaux. Freddy l'avait persuadée de venir sans lui préciser les raisons de la réunion.

– Mais on va faire une bande, non ? demanda-t-elle.

– Un gang, précisa Freddy en direction de ses deux copains préférés.

– Géant ! s'exclama Julia. On va braquer une banque ?

Julia avait un visage angélique mais elle était batailleuse et se nourrissait des séries policières de la télé. Quand le maître l'interrogeait, ses réponses faisaient frémir la classe.

Lucas, qui avait longuement répété la première partie de son discours, prit l'affaire en main en déclarant, solennel :

— Nous allons constituer une organisation dont l'objectif sera d'exterminer les poireaux du village !

— Non, les poireaux de la région, rectifia Freddy.

— D'accord ! approuva Lucas. Il faut que nous nous débarrassions définitivement de… de ces sales poireaux !

Pendant la leçon d'histoire de l'après-midi, Lucas avait mûri mille arguments antipoireaux. Mais soudain, face à cette assemblée, les mots lui manquaient.

– Bon. T'as un plan? coupa Freddy avec impatience.

– On va commencer par le jardin de mon père. Il y a trois cents poireaux à arracher.

– Trois cents poireaux? Super! fit Julia en poussant un sifflement admiratif. Et y aura de la bagarre?

– Ton père ne va pas s'en apercevoir? objecta Broquet.

– Ça, c'est mon problème, déclara Lucas qui ne voulait pas donner l'impression de reculer. Il faudra amener des bêches. Et agir de nuit, pendant que mes parents regardent la télé.

– Moi, ma mère me laissera jamais sortir! geignit Broquet.

– Parce que tu lui demandes l'autorisation? grogna Freddy. Bon, eh bien nous, on s'en charge. OK pour ce soir?

Gabin opina du chef et Jules porta l'index à sa casquette.

– Et moi, je compte pour du beurre? fit Julia. J'vais pas poireauter dans mon coin!

Ils éclatèrent de rire. Julia avoua que son jeu de mots était involontaire. Le rendez-vous fut fixé à neuf heures, au fond du jardin de M. Pomart.

– On pourrait aussi s'attaquer aux poi-reaux de Mme Dijon? suggéra Léo. Son potager donne derrière le magasin de mon père. Elle est sourde et elle se couche avec les poules. Ça sera pas difficile!

Lucas hésita. Mme Dijon était une veuve de quatre-vingt-quatre ans qui vivait seule avec ses vingt lapins. Mais il fit taire ses scrupules. Après tout, c'était la guerre. Ils trouveraient le moyen de la dédommager. Il ne fallait surtout pas décourager toutes ces bonnes volontés. Et puis deux opérations dif-férentes dans la même nuit égareraient les soupçons.

– Comment on va appeler notre gang? demanda Julia.

– Le gang des poireaux! décida Lucas.

Il avait choisi ce nom pendant la dictée de l'après-midi. En l'imposant, il espérait en devenir le chef.

Lucas déserte

Lucas revint à la maison les joues en feu et les tempes bourdonnantes. Il avait conscience de vivre une journée historique : celle qui ouvrait l'ère d'un monde sans poireaux. Et si, fort de ses exploits, le gang accueillait de nouveaux membres, Lucas devrait trouver un quartier général plus approprié que ce repaire misérable.

Bientôt, tous les villages des environs redouteraient les attaques du gang des poireaux !

Il se coucha de bonne heure afin de donner à ses parents l'illusion qu'il s'endormirait tôt.

Il éteignit la lumière de sa chambre et se mit à fixer les chiffres de son radioréveil en attendant qu'il affiche vingt et une heures.

Ce furent les cris de son père qui le réveillèrent. Lucas ne fit qu'un bond.

Il était sept heures vingt et l'aube pâlissait. Il s'était endormi et il avait raté le rendez-vous de la nuit !

À en juger par l'émoi qui régnait dans la maison, son absence n'avait pas empêché les membres du gang d'agir. Il jeta un coup d'œil par la fenêtre. Il n'y avait plus un seul poireau dans le potager ! Le terrain semblait avoir subi un bombardement.

– Incroyable ! clamait M. Pomart d'une voix étranglée par la détresse. Tous mes poireaux ont disparu ! En une seule nuit !

Les yeux exorbités, il allait et venait dans l'allée, ramassait un bulbe oublié, un blanc coupé par une bêche maladroite...

– Incroyable ! répétait-il.

Même les quatre rangées de poireaux passés au désherbant avaient disparu.

— Tu devrais porter plainte, conseilla Mme Pomart. Tout de même, plus de trois cents poireaux...

Lucas sentit son cœur bondir de joie et de crainte. Pour un coup de maître, c'était un fameux coup de maître !

— Et mes choux ? Tu as vu mes choux ?

Ils avaient été piétinés, une vraie purée...

Évidemment, Freddy et ses copains avaient agi dans l'obscurité, à la hâte. Ils n'avaient pas fait le détail et dévasté le terrain. Mais dans l'ensemble, c'était du beau travail.

— Je ne comprends pas, fit son père en revenant de la remise. Il ne manque aucun outil. Et nous n'avons rien entendu !

Une bouffée de satisfaction envahit Lucas qui s'était immobilisé en pyjama sur le seuil.

— Tu as vu ça ? hurla M. Pomart en se tournant vers son fils. Non mais, tu te rends compte ?

Lucas rougit, hocha la tête et crut que son père pointait vers lui un doigt accusateur. Avait-il des soupçons ? Non. Quand il était en colère, il s'en prenait à tout le monde.

— Henri? dit Mme Pomart. Tu vas être en retard, c'est toi qui assures l'ouverture de Biocoop ce matin. Et vous, les enfants, filez vous habiller, vous allez vous enrhumer!

Lucas se tourna vers sa sœur. Il lui murmura d'une voix où la consternation le disputait à l'admiration :

— C'est incroyable, tu ne trouves pas?

À la récréation de dix heures, Lucas aborda Freddy pour lui demander des détails sur l'expédition de la nuit.

Son camarade se contenta de murmurer, après avoir désigné le maître qui rôdait parmi les groupes d'élèves :

— Ce soir, cinq heures, à l'endroit habituel!

Lucas rongea son frein tout l'après-midi.

— Racontez! s'exclama-t-il lorsque le groupe au complet fut réuni dans la cabane du cimetière.

– Raconte-nous plutôt pourquoi tu t'es dégonflé, rétorqua Jules d'un air dédaigneux.

– Ouais, on t'a attendu une heure planqués au fond du potager, renchérit Gabin. Comme tu ne venais pas et que tes parents avaient éteint les lumières, on s'est mis au boulot. Mais tu aurais pu être là.

– Je… mes parents ont dû se douter de quelque chose, mentit Lucas. Ils m'ont proposé de regarder le film avec eux. Impossible de refuser. À dix heures, j'ai cru que vous ne viendriez plus. Vous avez fait un super boulot! s'empressa-t-il d'ajouter. Et pour mes parents, j'ai un alibi inattaquable. Dites, où est-ce que vous avez mis les poireaux?

– Ça, fit Gabin, sois tranquille, personne n'en reverra plus la couleur.

Jules et Freddy approuvèrent d'un air entendu. Lucas n'osa pas les questionner davantage.

– J'aurais bien voulu voir la tête de la mère Dijon, ce matin! gloussa Julia.

– Vous êtes allés chez elle?

Il faillit ajouter : « pour donner les poireaux à ses lapins? »

– Qu'est-ce que tu crois? grogna Freddy. Nous, on ne recule devant rien. Seulement…

– Seulement quoi?

– Ben voilà, dit Léo, il n'y avait pas un seul poireau dans son potager. Alors on lui a fauché ses salades. Tu comprends, on ne voulait pas s'être dérangés pour rien.

Lucas resta muet trois secondes et demanda :

– Mais… les salades, qu'est-ce que vous en avez fait?

– Ben… on les a données à Jules, avec les poireaux, révéla Broquet comme si c'était une évidence.

– T'inquiète! jeta Gabin avec un clin d'œil. Les salades, c'est nos oignons.

Cette plaisanterie fit rire tout le monde. Sauf Lucas.

– Là, vous y êtes allés un peu fort! Le gang des poireaux, c'est le gang des poireaux! Si on commence à dévaliser les potagers pour le plaisir, je ne suis plus d'accord!

– Dis donc, fit Jules en le fixant d'un air menaçant, tu es mal placé pour donner des ordres. Tu veux tout organiser, mais tu restes planqué. C'est trop facile!

– Pas de souci, tu me verras bientôt à l'œuvre, promit Lucas.

Pendant le dîner, quand son père évoqua les malheurs de Mme Dijon, Lucas sentit naître en lui de gros remords. Mais comme il y avait dans son assiette deux pleines louches de soupe poireaux-pommes de terre, ses scrupules s'évanouirent.

Au dessert, sa mère déclara :

– Camille ? Demain, tu iras me chercher deux kilos de poireaux chez Bruno.

Désormais, ce serait donc chez leur voisin que la famille se ravitaillerait !

En première ligne

Le lendemain, Lucas proposa à sa sœur d'aller chez Barbe Bleue à sa place.

– C'est sympa! fit Camille. Et ça me rassure.

– Ah bon? Pourquoi?

– J'avais l'impression que tu étais fâché.

– Moi? Jamais de la vie.

De fait, Lucas n'avait plus le temps ni l'envie de se disputer avec sa sœur.

– Et puis tes fréquentations commençaient à m'inquiéter.

– Quelles fréquentations?

– En descendant du car, je t'ai aperçu deux fois en compagnie de Jules Maupin et de Freddy.

– Freddy? Ouais, c'est un bon copain.

– Si papa et maman le savaient…

– Moi, est-ce que je vais raconter que tu vois un garçon en cachette chez Sophie?

– Quoi?

Lucas avait lancé cette hypothèse au hasard. La veille, il avait vu un garçon sortir de la maison des fermiers d'en face chez qui sa sœur allait de plus en plus souvent travailler. Le jeune inconnu avait embrassé Camille avant d'enfourcher un scooter rouge et de s'éloigner vers Abbeville.

Il sut qu'il avait visé juste quand sa sœur devint écarlate.

– Mais comment sais-tu…? Attends, Lucas, c'est un copain de… il était venu voir Sophie!

– Ce sont tes affaires. Alors ne te mêle pas des miennes.

Elle approuva vaguement en baissant la tête.

Bon, au moins, il était certain qu'elle ne révélerait rien à leurs parents!

Il se rendit chez Barbe Bleue le cœur plus léger.

En pénétrant dans la ferme, il fut accueilli par les aboiements furieux de Finaud, un affreux bâtard aux longs poils noirs et blancs, attaché hiver comme été à une longue laisse qui grinçait au moindre battement de queue.

L'arrivée de Lucas fit fuir une volée de pigeons et de poules qui déambulaient dans la cour ; il frappa à la porte.

En vain.

Il fit le tour de la maison et trouva son propriétaire au jardin. Bruno était vêtu de son éternelle salopette bleu foncé. Son visage tavelé était couvert d'une grosse barbe en désordre. Ancien maraîcher, il vendait les légumes qu'il cultivait aux habitants du village et à l'épicerie solidaire dont M. Pomart était l'un des gérants.

– Bonjour Bruno ! Je viens vous acheter des poireaux.

Courbé sur une plate-bande, l'homme se retourna.

– Salut, min piot. Alors c'est vrai ? On a volé ceux de ton père ?

– Eh oui!

– Viens. J'vais t'les arracher tout de suite. J'dis pas qu'y s'ront aussi beaux qu'ceux d'Henri. Pour un potager, c'était un sacré potager! C'est tout d'même malheureux...

En dépassant une longue serre en plastique, Lucas aperçut la planche des poireaux de Barbe Bleue.

Il réprima un cri d'horreur. Il y avait là, au bas mot, un millier de poireaux! De quoi alimenter la famille Pomart, et même le village entier, pendant tout l'hiver.

Désespérant...

Attentif, Lucas observa la façon dont le maraîcher arrachait ses poireaux. Il pointait la bêche à dix centimètres du pied, l'enfonçait d'un coup de talon et abaissait le manche vers lui. Le poireau jaillissait alors hors de terre, laissant apparaître son tubercule laiteux.

De la main gauche, une main qui avait pris la couleur de la terre, il le saisissait par le milieu; d'un geste précis, il faisait retomber les racines empêtrées de glaise sur le haut du tranchant de la bêche, qui les sectionnait d'un coup.

Une technique très au point. Si l'ancien maraîcher avait été membre du gang, il aurait arraché les poireaux de son propre potager en une seule nuit!

Le maraîcher emmena Lucas dans sa remise et posa les poireaux sur une vieille balance de cuivre.

– Tu diras à Henri qu'il passe prendre mes légumes vendredi matin, pour Biocoop.

– D'accord, Bruno. Je n'oublierai pas.

– Voilà… bon poids! annonça l'homme en ajoutant deux poireaux supplémentaires.

Lucas se promit de faire disparaître dans le puits cet excédent injustifié.

– Attends, je vais te donner du persil.

Lucas rumina son dépit tout l'après-midi.

Il revoyait, alignées, les rangées de poireaux de Barbe Bleue. Une vision qui alimentait son découragement.

Le soir (il fallait s'y attendre) il eut droit à une soupe aux poireaux. Les légumes le narguaient dans son assiette.

Cette fois, c'en était trop. Ce serait vraiment la guerre. Il se battrait seul contre mille, comme Charles Martel à Poitiers ou Roland à Roncevaux.

Il avait observé la façon de faire de Barbe Bleue. Après tout, mille poireaux, ce n'était pas surhumain. Mais il faudrait beaucoup de nuits pour en délivrer le jardin !

Lucas se leva à vingt-deux heures, passa par la remise et enfila sa tenue de combat. Muni de la bêche, une dizaine de sacs en papier Biocoop sous le bras, il traversa la zone neutre de la départementale avant de parvenir à la frontière du camp de l'ennemi.

La nuit était étoilée, fraîche et sans lune. Jamais il ne retrouverait une occasion pareille.

Il contourna le corps de ferme pour pénétrer par le fond du jardin et lança les sacs par-dessus le grillage, qui lui parut plus haut que la veille. Mais pas question de reculer ! Le lendemain, il étalerait devant les membres du gang un butin fabuleux, de quoi prouver son courage et motiver ses troupes.

En même temps, il faisait le calcul de la somme à réunir pour dédommager Barbe Bleue. Le but du gang des poireaux était de supprimer ces légumes, pas de voler les gens. Hélas, à un euro cinquante le kilo, Bruno avait un vrai trésor dans son jardin ! Freddy et les autres accepteraient-ils de se cotiser pour le rembourser ?

Il s'agrippa au grillage, lutta une bonne minute pour se hisser au sommet après s'être coincé les doigts et écorché les cuisses.

– Ma bêche ! Je l'ai oubliée de l'autre côté !

Pas question de redescendre. Il aurait déjà assez de mal à effectuer le trajet du retour avec son chargement.

Il sauta à pieds joints sur la terre humide.

Les poireaux étaient là, il pouvait en humer l'odeur écœurante et fade. Un océan de poireaux...

– À l'attaque !

Il voulut en arracher un à mains nues mais les verts lui restèrent dans les paumes. En connaisseur, Bruno plantait ses poireaux profondément en terre afin d'avoir de plus longs blancs.

– Bon, murmura Lucas pour se redonner confiance. Il faut que j'utilise la bêche de Barbe Bleue. Elle est dans sa remise.

Au même instant, il vit surgir dans l'allée un monstre qui galopait vers lui en grondant.

C'était Finaud. Bruno détachait son chien pendant la nuit ! Pétrifié, Lucas voulut faire volte-face… mais déjà, le molosse se jetait sur lui.

Lucas comprit qu'il allait se faire dévorer tout cru ! Il se souvenait d'avoir souvent joué avec Finaud quand il était petit, mais Finaud, lui, l'avait sûrement oublié. Et pour un bon chien de garde, tout maraudeur dans la nuit devient un inconnu.

Sous le poids de l'animal, Lucas s'écroula puis se recroquevilla, prêt au pire. Il finit par ouvrir les yeux car on lui léchait les joues à grands coups de langue.

– Finaud, murmura-t-il. Finaud, bon chien!

L'animal voulait simplement jouer.

Lucas se releva, indemne et abasourdi.

Tout en remuant la queue, Finaud accompagna le visiteur jusqu'à la remise.

De retour devant les poireaux avec la bêche, Lucas voulut se mettre au travail. Mais le chien ne l'entendait pas de cette oreille. Il posait ses grosses pattes sur ses épaules et continuait de lui lécher le visage en poussant de petits jappements plaintifs.

– Chut! ordonna Lucas qui n'était pas d'humeur à chahuter.

– Ouah! Ouah! protesta Finaud.

– Tu vas te taire?

Prenant ce dialogue pour un jeu, Finaud égrena une ribambelle d'aboiements sonores. Diane lui répondit. Et à l'autre bout du village, cinq ou six autres chiens l'imitèrent. L'un d'eux, interminablement, se mit à hurler à la mort.

Lucas s'immobilisa. Dans la maison de Barbe Bleue, une fenêtre venait de s'allumer. Une porte s'ouvrit.

– Y a quelqu'un ? brailla une voix rauque.

Lucas vit surgir la forme voûtée de Bruno dans un halo de lumière. La lanterne du perron s'illumina à son tour. Barbe Bleue brandit quelque chose qui ressemblait à un fusil.

Finaud se mit à aboyer de plus belle. Cette fois, Lucas était découvert !

– Au voleur ! hurla Bruno.

Abandonnant chien, bêche et poireaux, Lucas prit ses jambes à son cou. Une détonation retentit dans la nuit. Lucas crut entendre du plomb siffler à ses oreilles.

Comment parvint-il à franchir le grillage ? Il n'aurait su le dire ; mais le retour fut bien plus rapide que l'aller. À peine s'était-il reçu dans l'herbe qu'il buta contre sa bêche oubliée et s'étala de tout son long. Il s'empara de l'outil et fila d'une traite jusqu'à la maison.

À présent, tous les chiens du village aboyaient, hurlaient et se répondaient à qui mieux mieux. Les lampes des maisons voisines s'allumaient une à une.

Il s'engouffra en trombe dans sa chambre par la fenêtre ouverte. Au moment où, hors d'haleine, il dissimulait les bottes, la bêche et le sweat-shirt sous son lit, il entendit ses parents se lever et rejoindre le vestibule.

Il se réfugia sous les draps et ferma les yeux. Quelqu'un ouvrit la porte de sa chambre et la referma quelques secondes plus tard.

À nouveau, ce fut l'obscurité.

Lucas n'eut pas le temps de s'inquiéter davantage. Épuisé, il s'était endormi!

Le cycle du poireau

Le lendemain matin, Lucas s'habilla à la hâte. Avant de gagner la cuisine, il fit une rapide incursion dans la remise. Il remit la bêche en place, récupéra son pyjama sous la bâche et dissimula les bottes derrière un vieux bidon, au cas où son père viendrait les enfiler pour effectuer sa chasse quotidienne aux mauvaises herbes.

Le soir, lors de la réunion du gang dans la cabane du cimetière, il raconta son aventure et on se moqua beaucoup de lui. Il comprit un peu tard qu'il avait eu tort.

Son père avait affirmé qu'au cours des guerres il fallait taire les défaites à la population et aux soldats pour ne pas les décourager.

Le plus curieux, c'est que, dans ce village où les nouvelles allaient bon train, il ne fut pas question de l'incident. Lucas croyait avoir provoqué l'événement du siècle, et le coup de fusil de Barbe Bleue était passé inaperçu !

Le vendredi soir, M. Pomart révéla qu'il avait donné ses choux piétinés aux lapins de Mme Dijon. Lucas songea qu'ils seraient bien gras cette année.

Son père s'inquiéta aussi de la recrudescence des chapardages dans les potagers. La veille encore, on avait dérobé plusieurs kilos de carottes dans les jardins avoisinants.

Lucas se promit de mettre les choses au point lors de la prochaine réunion du gang.

Il n'en eut pas le temps. Le lendemain, au début de l'après-midi, sa mère lui demanda d'aller chercher deux kilos de poireaux chez Bruno. Désormais, une mission à haut risque...

– Camille pourrait y aller! C'est son tour.

– Elle est partie faire des maths chez Sophie.

Il jeta un coup d'œil par la fenêtre du séjour et aperçut le scooter rouge garé près de la ferme d'en face. Il réprima un sourire.

– Des maths, tu es sûre?

Il faillit vendre la mèche mais il se tut. Camille ne l'avait pas trahi.

– C'est à deux pas, insista sa mère. Tu en as pour cinq minutes. À ton retour, nous irons faire les courses à Abbeville.

– Justement, on pourrait acheter les poireaux à Biocoop?

– Je veux bien être solidaire, lança son père depuis la cuisine, mais pas au point de me fournir en poireaux dans l'épicerie où je les livre.

– Et à Carrefour? risqua Lucas. On vend bien des poireaux, non?

M. Pomart jeta à son fils un regard noir. Il ne cessait d'accuser la grande distribution de vendre des légumes cultivés à renfort d'engrais chimiques et conservés dans des chambres froides. La mort dans l'âme, il obéit. En longeant la ferme des parents de Sophie, il entendit des cris joyeux. Drôle de façon de faire des maths!

À son arrivée à la ferme, Finaud tira sur sa chaîne et l'accueillit avec des jappements frénétiques. Lucas n'eut pas un regard pour lui. Il avait l'impression que l'animal criait:

« C'est moi, Finaud. Tu ne me reconnais pas? Nous nous sommes bien amusés, l'autre soir, quand tu es venu me rendre visite. »

Par chance, Barbe Bleue ne comprenait pas le langage chien.

— Salut, min piot! Qu'est-ce qui t'amène?

— Je voudrais… deux kilos de poireaux, lâcha Lucas dans un souffle.

— Je viens justement d'en arracher. Suis-moi jusqu'à la remise.

Au lieu d'utiliser le papier journal habituel, Bruno glissa les poireaux dans un sac que Lucas reconnut aussitôt. C'était l'un de ceux qu'il avait abandonnés sur place!

Heureusement, ils étaient très communs au village puisque leurs habitants se ravitaillaient souvent à Biocoop.

– Tu sais, tu as de la chance d'avoir des poireaux aujourd'hui !

– Ah bon ?

– Jeudi soir, un voyou s'est introduit dans mon potager. J'ai l'impression qu'il en voulait à mes poireaux. Si Finaud n'avait pas aboyé, mon potager aurait été dévalisé, comme celui de la mère Dijon, de ton père ou du fils Laffont.

Lucas respira. Ouf, Barbe Bleue ne l'avait pas reconnu !

– À vrai dire, confia le maraîcher, je me méfiais. J'avais l'oreille aux aguets. Dès que je suis sorti et que j'ai vu une silhouette, j'ai tiré en l'air.

Bruno ajouta, en levant un index boudiné à l'ongle noir :

– Et mon maraudeur a filé sans demander son reste. Maintenant, je garde mon fusil à portée de main. Je l'ai chargé au double zéro. Si mon visiteur revient, je te promets qu'il aura droit à une volée de plombs dans les fesses !

– Une chance que Finaud ait donné l'alarme, murmura hypocritement Lucas.

– Oui. Le jour, il ne ferait pas de mal à une mouche. Mais la nuit, il devient méchant!

Lucas réprima un sourire; il faillit avertir Barbe Bleue que son chien était moins féroce qu'il n'en avait l'air.

– Tiens, piot, voilà tes deux kilos. Bon poids. Et du persil!

Au moment de partir, Lucas songea qu'il ne remettrait plus les pieds dans ce potager la nuit. Il ne risquait plus rien à poser quelques questions:

– J'aimerais savoir… ça pousse comment, les poireaux?

– Comment? Ben, ma foi, ça pousse!

Embarrassé, Bruno se passa la main sur sa barbe en broussaille avant d'expliquer:

– Au printemps, ils poussent même trop vite! En avril, ils se mettent à monter…

– Ils montent?

– Ben oui pardi, ils montent en graine! À ce moment-là, on ne peut plus les manger parce qu'ils durcissent à l'intérieur. En avril, ces graines, je les plante. Et elles donnent de la poirette.

– De la poirette?

– Des petits poireaux. Ils sortent de terre en juin. Et je les repique à intervalles réguliers.

– L'été, c'est à vous que papa achète sa poirette! se souvint Lucas. Mais alors les poireaux qui passent l'hiver sans être arrachés fleurissent et… et ils montent en graine en avril?

– Exactement.

C'était donc là le cycle du poireau!

– Merci beaucoup, Bruno. Vous mettrez les deux kilos sur la note?

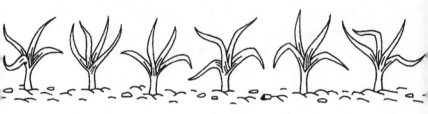

Sur le chemin du retour, Lucas mûrit un nouveau plan. Quel idiot il avait été de vouloir arracher tous les poireaux existants! Pour s'en débarrasser, il suffisait de choisir la bonne période : celle où il ne restait plus que les poireaux montés en graine destinés à la reproduction.

Avril! C'était le bon moment pour agir. Arracher vingt poireaux montés, c'était détruire cent, mille, dix mille graines! C'est-à-dire empêcher dix mille poireaux de pousser.

Cela supposait d'attendre six mois. Bah, toutes les guerres ne duraient pas six jours; certaines duraient cent ans. Les combattants ménageaient des trêves. Et six mois de repas avec des poireaux, c'était supportable quand on avait la certitude de ne plus jamais en manger!

C'était décidé. Lucas attendrait le moment favorable. Lundi soir, il expliquerait son raisonnement aux membres du gang et les convaincrait de suspendre leurs attaques.

Au supermarché

À son retour, Lucas eut à peine le temps de déposer les poireaux dans la cuisine, son père l'attendait, assis au volant.

– Eh bien Lucas, dépêche-toi! Tu sais que je reprends à quinze heures!

Le samedi après-midi, M. Pomart assurait à Biocoop la vente aux particuliers. Pendant ce temps, Mme Pomart allait faire le plein et des courses en ville. Elle emmenait parfois ses enfants au cinéma et achevait la journée par quelques achats à Carrefour avant que son mari ne ramène toute la famille à la maison.

– Ce soir, déclara-t-il, j'assure la ferme-
ture. Un collègue me raccompagnera. Une
fois les courses achevées, vous rentrerez à la
maison avec votre mère.

Lucas détestait le supermarché mais il ne
pouvait pas y échapper. L'année précédente,
les Pomart avaient commis l'imprudence de
laisser à la maison leurs enfants.

Après avoir joué au badminton dans l'allée
et massacré les plates-bandes, ils étaient
rentrés sans s'essuyer les pieds, avaient
laissé la lumière allumée, la porte du jardin
ouverte et s'étaient préparé un super goûter.

Avec l'aide de son frère, Camille avait
testé deux nouvelles recettes, l'une d'œufs
au lait et l'autre de mousse au chocolat.
Pendant la cuisson des œufs au lait, ils
s'étaient installés devant l'ordinateur et
avaient exploré Internet pour y dénicher des
jeux, sites ou chats inédits. Résultat : une
casserole caramélisée bonne pour la poubelle, une autre que Mme Pomart avait mis
une heure à récurer, six œufs perdus, une
double indigestion – et une invasion de virus
sur le disque dur.

Les complices avaient eu droit à un sermon sur le prix du gaz et de l'électricité, la diminution des ressources mondiales, les méfaits du chocolat sur la santé (et du sucre sur les casseroles) ainsi que les dangers entraînés par les connexions hasardeuses sur Internet.

Aussi, pour éviter tout dérapage, les Pomart avaient pris l'habitude d'emmener les enfants en ville le samedi.

Le conducteur klaxonna devant la ferme des parents de Sophie pour prendre Camille au passage.

– Vous avez pensé à emporter votre argent de poche ? demanda Mme Pomart.

Pendant qu'elle remplirait son caddie, ses enfants auraient le droit de le dépenser. Seules interdictions : les chips, les cacahuètes et les friandises du genre Haribo, Chamallows et fraises Tagada – des milliards d'unités ingurgitées chaque année en France ! affirmait M. Pomart avec horreur.

Quand Mme Pomart arriva sur le parking géant, toutes les places étaient occupées et elle dut se garer loin de l'entrée.

Elle jeta à ses enfants :

– Rendez-vous à dix-neuf heures à la caisse 22, comme d'habitude.

Camille partit vers les rayons vêtements et cosmétique, Lucas du côté de la librairie. Le plus souvent, il fouillait dans le rayon mangas et BD. Il avait le temps de lire un *Astérix* et un *Lucky Luke*. Depuis peu, il avait découvert *Les Simpson* et *Kid Paddle*.

Hélas, ce samedi-là, le rayon BD affichait complet. Dépité, il alla rôder du côté de la jardinerie. Sa mère n'y allait jamais puisqu'on trouvait l'équivalent à Biocoop.

Il tomba en arrêt devant un présentoir presque aussi grand qu'un manège. Là étaient suspendus, comme des boules sur un arbre de Noël, mille et un sachets multicolores.

Il découvrit, entre les choux Champions à collet rouge et la chicorée frisée Fine de Louviers une file impressionnante de sachets… de graines de poireaux.

Fébrile, il les compta : un, deux, quinze, vingt, vingt-six, vingt-sept paquets ! À combien de poireaux ces graines allaient-elles donner naissance ?

Sa panique se mua en satisfaction. Acheter et détruire ces sachets, c'était faire l'économie d'imprudentes expéditions nocturnes ! Quand ses amis et lui auraient écumé les magasins des environs et quand d'autres gangs les auraient imités dans le monde entier, ce légume disparaîtrait pour toujours.

Il saisit un sachet et murmura :

– Si les hommes colonisent d'autres planètes, je ferai partie des premières expéditions. Je veillerai à ce qu'ils n'emportent pas de graines de poireaux.

Hélas, en baissant les yeux, il aperçut d'autres sachets : les poireaux d'hiver d'Elbeuf, les monstrueux de Carentan, les longs de Mézières…

Les choses se compliquaient. Le poireau se divisait pour régner ; il dissimulait son nom sous différentes variétés.

Il retourna les sachets. Le calcul serait compliqué...

– Vingt-sept sachets à quatre-vingts centimes, neuf à soixante centimes et onze à un euro dix.

Il fit un saut au rayon informatique et effectua l'opération sur un ordinateur laissé en démonstration.

Cela faisait un joli total. Déjà, il n'était pas sûr de disposer d'une telle somme. Et puis quel crève-cœur de la dépenser pour des graines alors qu'il aurait pu s'offrir des livres ou des friandises ! Résigné, il fouilla ses poches. Comme il n'avait que dix euros, il alla trouver sa sœur qui flânait au rayon bijouterie.

– Camille ? Tu peux me prêter de l'argent ? Je te le rendrai dès qu'on sera rentrés.

– Sûr?

– Juré!

Il fit mine de cracher par terre.

– Croix de bois, croix de fer, si je mens, je vais en enfer.

– Qu'est-ce que tu veux acheter?

– C'est… c'est pour faire une surprise.

– À qui?

– Si je te le dis, ce ne sera plus une surprise.

– Tu veux combien?

– Trente euros.

– Tu rêves! Je ne les ai pas.

– Alors… dix ou vingt? Combien tu as?

Elle ouvrit son porte-monnaie, jeta un coup d'œil vers des boucles d'oreilles, réfléchit et lança :

– Dix euros. Non, douze.

– OK, soupira Lucas. C'est toujours ça.

– Minute! Un service en vaut un autre.

– Tu me les prêtes ces douze euros, oui ou non?

– À condition que demain, tu me donnes ton heure sur Internet.

– D'accord.

Il disposait de vingt-deux euros pour acheter des graines de poireaux. Hélas, il resterait des dizaines de sachets! Comment empêcher d'éventuels clients de les acquérir avant samedi prochain?

À deux pas de là, il aperçut, alignés, une vingtaine de pots en terre cuite. Il cueillit un paquet sur le présentoir, déchira un coin et versa discrètement les graines dans le premier pot.

À l'autre bout du rayon, un client observait son manège. Lucas comprit qu'il se ferait repérer s'il répétait l'opération. Et puis ce gâchis s'apparentait à du vol.

Il rassembla les paquets qu'il n'avait pas achetés et profita du départ du client pour les dissimuler entre deux sacs de terreau. Il les récupérerait samedi prochain.

Après son coup, il leva les yeux. Une caméra-espion aurait-elle surpris son geste? Non. Aucune sirène ne s'était déclenchée, aucun vigile n'avait surgi.

– Le magasin de papa! jeta soudain Lucas à mi-voix. Il y a sûrement des graines de poireaux, là-bas aussi!

Décidément, la lutte se révélait plus longue et complexe que prévu. Préoccupé, il se rendit à une caisse où il paya ses sachets avant de les fourrer dans ses poches.

– Alors, les enfants, qu'avez-vous acheté? s'informa Mme Pomart en les rejoignant.

– Un nouveau vernis à ongles, dit Camille en exhibant un flacon noir.

– Hélas! fit sa mère dans une grimace.

Le mois dernier, elle avait refusé tout net que sa fille achète un anneau et se fasse percer la lèvre. « C'est avec *mon* argent! s'était entêtée Camille. Et puis le look gothique est très tendance au collège! »

Ses parents avaient été formels, piercing et tatouages étaient interdits. « Quand vous serez majeurs, avait ajouté leur père, vous serez libres de vous mutiler comme vous voudrez! »

– Et toi, Lucas, tu as acheté quelque chose? demanda Mme Pomart.

– Euh… oui.

– Quoi?

– C'est une surprise ! glissa Camille.

Comme Noël approchait, leur mère n'insista pas.

Une fois rentré, Lucas se réfugia dans sa chambre. Là, il s'interrogea. Allait-il détruire les graines, les jeter dans le puits ou les exhiber au gang, comme un trophée ?

Indécis, il opta pour un cessez-le-feu provisoire et les rangea au fond d'un tiroir.

Des baleines en danger

— Il faut que les enfants voient cette émission.

Lucas se précipita sur le canapé où son père était assis.

— Tu ne sais même pas ce que c'est, lança Camille, dédaigneuse.

— Tu peux faire la difficile ! grogna-t-il. Toi, tu as le droit de regarder la télé le soir si tu veux.

— Plus rarement que tu ne crois, observa M. Pomart.

— Plus souvent que moi, en tout cas !

Une nuit de l'hiver dernier, Lucas s'était réveillé vers dix heures. En allant aux toilettes, il avait aperçu Camille, assise entre son père et sa mère, face au nouvel écran plat.

– C'est pas juste! Pourquoi elle et pas moi?

Ses parents lui avaient fourni mille raisons : sa sœur avait trois ans de plus que lui, elle n'avait pas besoin d'autant d'heures de sommeil. D'ailleurs il dormait déjà lorsque l'émission avait commencé, et elle ne l'aurait guère intéressé. Aucune justification n'avait trouvé grâce à ses yeux. Il était sûr que Camille bénéficiait de privilèges dont il était privé.

– Tu vas laisser Lucas voir un documentaire sur l'extermination des baleines? soupira Mme Pomart. Quelle horreur!

– Ça m'intéresse énormément! jura-t-il.

D'ordinaire, il suffisait de trois coups de feu ou d'un couteau ensanglanté pour que M. Pomart zappe. Un jour, il avait confisqué la console de son fils, jugeant le jeu vidéo trop violent.

– Tu n'as pas peur, Henri, que cette émission l'impressionne?

– Je veux qu'elle l'impressionne.

Des orques aux baleines en passant par les dauphins, Lucas adorait les mammifères marins.

Dans sa chambre était affiché, au-dessus de son lit, un poster géant représentant la nageoire caudale d'un cachalot surgissant de l'océan, avec son double éventail ruisselant d'écume.

L'an dernier, il avait fait circuler dans la classe une pétition pour protester contre la mort annoncée de milliers de bébés phoques de Finlande, une mort dont la cause n'était plus le massacre systématique, mais le réchauffement climatique.

Ici, l'écran montrait les navires japonais hissant dans leurs cales les carcasses sanglantes de ces géants des mers.

– Une chasse limitée à deux mille baleines par an, expliquait le commentateur, et seulement autorisée pour des recherches scientifiques. Un prétexte. Car un rorqual bleu produit jusqu'à vingt-sept tonnes d'huile ! Une petite fortune. Pour justifier cette chasse, des pays comme le Japon, la Norvège et l'Islande se réclament aussi d'une vieille tradition...

– Ah, les traditions! grogna M. Pomart. Aujourd'hui, certaines sont incompatibles avec les droits de l'homme et la survie de la planète!

– Que veux-tu dire? demanda sa femme.

– Que toute action ici ou là bouleverse la Terre entière, son économie, sa survie, son climat, son équilibre… Certains pays votent des lois qui entraînent des souffrances et des injustices. Et le pire, c'est que parfois, la population se prononce à la majorité pour elles!

– Alors c'est démocratique? jeta Camille.

– Oui, admit M. Pomart. Mais parfois, la majorité a tort. On peut même être seul à avoir raison.

– Et comment on sait qu'on a raison? s'entêta Camille. Et que les lois sont mauvaises?

– Si leur application entraîne des victimes ou des injustices, il y a fort à parier qu'elles ne sont pas bonnes. Vois-tu, ajouta-t-il en désignant l'écran, ce qui provoque la disparition d'une espèce rend le monde plus fragile et moins riche. Ce qui fait la beauté de notre Terre, Camille, c'est la diversité des formes de vie qui s'y épanouissent pour que le plus grand nombre puisse en profiter.

– Votre père a tout à fait raison ! interrompit Mme Pomart en éteignant la télévision. Tu devrais te présenter aux élections, Henri !

– Mais est-ce que la loi... ? commença Lucas.

– La loi, coupa Mme Pomart, la loi impose maintenant aux moins de dix ans d'aller au lit !

– Je peux lire un quart d'heure ? demanda Lucas plus par principe que par envie.

– Exceptionnellement, permit sa mère.

Mais Lucas ne parvint pas à se plonger dans sa lecture, les scènes vues à la télé lui revenaient sans cesse à l'esprit.

Son sommeil fut agité par un cauchemar. Il se retrouvait tout à coup dans le cimetière, seul face aux membres du gang des poireaux érigé en tribunal. Appelé à la barre, le timide Broquet l'accusait publiquement d'être l'unique responsable de l'extermination de millions de poireaux innocents, des poireaux qui gisaient dans le puits, nageant au milieu d'un étrange bain de sang...

Dissolution du gang

Le lundi soir, la réunion du gang fut houleuse. Lucas nota que Broquet manquait à l'appel.

– Il a vendu la mèche, expliqua Freddy. Il a parlé à sa mère du gang des poireaux et il a été puni.

– C'est un dégonflé, conclut Gabin. On ne le reverra plus.

– Écoutez, commença Lucas. On s'y est mal pris. On a dispersé nos forces. J'ai une meilleure idée…

Il se lança dans l'explication du mode de reproduction des poireaux et proposa d'acheter tous les sachets de graines dans les magasins et supermarchés de la région. Ce projet ne souleva d'autre réaction qu'un petit rire désabusé de Jules.

— Si je comprends bien, conclut Léo, on arrête d'arracher les poireaux ?

— C'est plus sage. Notre gang est trop en vue en ce moment. Et certains d'entre nous se sont laissés entraîner euh… au-delà de l'objectif que nous nous étions imposé.

Il eut un regard vers Freddy et ses acolytes qui ne réagirent pas.

Il ajouta avec l'assurance d'un ancien combattant :

— Je vous rappelle que jeudi dernier, j'ai essuyé un coup de fusil de Barbe Bleue après avoir failli me faire dévorer par son chien.

— Vous avez les jetons ou quoi ? s'emporta Julia. De vraies poules mouillées, ces mecs !

— On va voter ! proposa Léo dont le père était conseiller municipal.

— OK ! fit Lucas. Votons. Mais sur un programme précis. Un programme qu'il faudra respecter.

– Eh! fit Jules. Qu'est-ce que tu mijotes?

– Moi? Rien. C'est vous qui avez dérapé! Je vous préviens, si vous vous attaquez à autre chose qu'à des poireaux, je ne serai plus... solidaire!

Ce mot savant jeta un froid. Un moment, chacun mûrit en silence le discours de l'orateur. Puis Gabin désigna les autres avant de lancer à Lucas :

– Si tu n'es plus solidaire, tu finiras solitaire!

Le groupe se mit à rire mais Lucas, très digne, répliqua :

– Qu'importe! Parfois, la majorité a tort. Et on peut être seul à avoir raison.

Alors Jules se leva et porta l'index à la visière de sa casquette :

– Moi, j'arrête les frais. Y a déjà eu un mouchard dans le groupe, je sens qu'un autre pointe son nez!

Lucas allait répondre quand Gabin se leva à son tour. Il jeta avec mépris :

– Votre gang, c'est une histoire de mômes. D'ailleurs, je le sentais et je l'avais dit à Freddy.

Dans un reniflement énergique, il quitta son repaire.

– Ben quoi? s'étonna Léo. On abandonne?

– C'est ta faute! tonna Freddy en désignant Lucas. C'est toi qui as voulu monter ce gang. Et maintenant, tu recules. Pas étonnant, tu n'as participé à aucune expédition!

– Alors vous laissez tomber? s'exclama Julia.

Comme Freddy et Léo quittaient le cabanon à leur tour, elle leur emboîta le pas mais avant de sortir, elle se tourna vers Lucas et lui lança avec dédain :

– De toute façon, moi, j'ai toujours aimé les poireaux!

La flamiche de l'oncle Louis

Le premier dimanche de décembre, les Pomart furent invités chez l'oncle Louis. Il habitait une petite maison ouvrière étroite et haute dans la banlieue d'Amiens.

Derrière sa demeure, il possédait un jardin de ville large de six petits mètres, mais qui s'étalait sur trente mètres de long. Louis avait aménagé la partie proche de son domicile en potager et laissé le fond en friche.

Lucas et Camille appréciaient ce refuge de hautes herbes et de ronces où ils se gavaient, fin août, de mûres chaudes.

Longtemps, ils avaient joué dans cette jungle qui devenait tour à tour île déserte, fortin ou planète inconnue. Mais depuis un an, Camille abandonnait les lieux à Lucas pour s'isoler avec son téléphone portable.

Ils arrivèrent pour le goûter. Louis avait confectionné une succulente tarte au citron.

– Et je vous garde à dîner. J'ai prévu de vous cuisiner ce soir ma spécialité.

Les yeux d'Henri s'agrandirent de gourmandise.

– Ta flamiche ? C'est un argument très convaincant.

– On peut aller jouer dans le jardin ?

– Bien sûr, les enfants. Mais le sol est boueux, relevez vos bas de pantalons !

– C'est bizarre, dit Lucas lorsqu'ils furent dans le jardin. Il n'y a qu'à la maison qu'on nous interdit presque tout. Ici, on a le droit de se salir, de manger des bonbons et de regarder la télé. On joue au badminton ?

– Tu y tiens vraiment ? murmura Camille avec une grimace.

– Une partie, supplia-t-il. Et la revanche si tu gagnes !

Il aimait tant le badminton que, pour pro-
longer le plaisir, il laissait souvent sa sœur
gagner.

– Désolée…

Le portable de Camille sonnait. Elle s'éloigna pour répondre, il l'entendit chuchoter :

– Non, je suis seule… Mais si, on peut
parler !

La conversation s'éternisait ; Lucas voyait
sa sœur pouffer, sourire. Puis rougir et
encore sourire… La communication s'acheva
sur d'interminables chuchotements.

Dès qu'elle l'eut rejoint, il jeta :

– Comment il s'appelle ?

– Quoi ? De qui parles-tu ?

Elle était devenue écarlate.

– Du garçon qui vient de t'appeler. Celui
que tu vois chez Sophie et qui a un scooter
rouge.

– Qu'est-ce que tu vas inventer ?

Lucas expliqua, sûr de lui :

– À la façon dont tu as raccroché, ce n'est
pas une copine. Alors c'est qui ?

Le portable de Camille sonna à nouveau.
Un texto qu'elle consulta à la hâte.

– Attends, je réponds.

Tandis qu'elle pianotait, il promit :

– Tu sais bien que je ne dirai rien. Moi aussi, j'ai un secret. Si tu me confies le tien, je pourrais sûrement t'aider.

Elle releva la tête, fixa son frère dans les yeux et murmura :

– C'est un garçon de mon collège. Tu ne le connais pas.

Gravement, il hocha la tête. Sa sœur lui faisait confiance. C'était rare et inattendu, il lui sembla avoir grandi d'un coup.

– Et toi, ton secret concerne les poireaux ?

Là, Camille l'épatait ! Il tendit une raquette à sa sœur :

– Tu veux bien jouer ?

– Entendu, fit-elle en souriant. Mais deux parties, pas plus.

Alors qu'il venait de rater un revers fulgurant, son regard s'arrêta sur la planche de légumes où avait atterri le volant : six longues rangées de poireaux.

Oh, ils n'étaient pas aussi beaux que ceux de son père. Mais Louis n'était pas maniaque.

– Il y en a presque cent, calcula-t-il à mi-voix.

– Six à zéro ! répondit Camille. Concentre-toi !

Si Lucas en avait la possibilité, arracherait-il les poireaux de son oncle ? Les arroserait-il de désherbant ? Viendrait-il ici, au printemps, détruire les poireaux germés, porteurs des futures moissons ?

– Onze à deux ! cria Camille. Eh, Lucas, tu te réveilles ?

Il reprit pied, fit un écart pour renvoyer le volant qui passa à deux centimètres de sa raquette.

– Douze !

– Ce n'est pas juste, protesta-t-il. On joue sans filet et tu dépasses les limites du terrain.

– Parfois, tu dépasses les limites, toi aussi.

– Qu'est-ce que tu veux dire ?

– Qu'il y a des règles à respecter. De toute façon, le soir tombe. Et il commence à pleuvoir !

L'averse fut si brutale qu'ils durent battre en retraite.

– Eh bien? demanda leur père, vous n'avez pas trop abîmé les plates-bandes? Parce que chez nous, expliqua-t-il à son frère, une partie de badminton, c'est une planche de potager piétinée!

– Chez nous, protesta Lucas, il n'y a pas un mètre carré pour jouer!

– Exact, approuva Louis qui servait l'apéritif. Quand même, Henri, tu ne peux pas sacrifier un espace pour une pelouse?

Lucas se garda bien d'appuyer. Il savait qu'une suggestion de son oncle valait mieux que mille protestations de sa part.

– Et puis ce grand potager te donne un travail considérable, non?

– Surtout pour les maigres résultats que tu as obtenus cette année, renchérit Mme Pomart.

– Quels résultats?

– Mes poireaux sont tombés malades, expliqua M. Pomart. Et des maraudeurs ont dévalisé ce qui restait.

– Non ?

Louis était consterné. Lucas ne savait quelle attitude adopter, il aurait donné cher pour être ailleurs.

– Tu aurais dû me le dire plus tôt, Henri. Tu manques de poireaux ? Je vais t'en arracher une vingtaine.

– Inutile. J'en ai replanté d'autres.

– Mais ce n'est plus la saison !

– J'espère qu'ils lèveront quand même. Et nous avons ceux de Bruno.

– On peut aussi se ravitailler à Biocoop, dit Mme Pomart. On n'y trouve que des produits bio.

– Aujourd'hui, affirma Louis, on en trouve partout. Les gens préfèrent des légumes et des fruits qui ont du goût.

– On peut regarder un DVD ? demanda Lucas qui mourait d'envie de changer de sujet.

– Bien sûr, les enfants.

Lucas et Camille s'installèrent sur le canapé devant un documentaire sur les espèces en voie de disparition.

131

Il montrait des phoques écorchés vifs sur la banquise, des ours blancs affamés sur des icebergs en train de fondre, des baleines dépecées au milieu de l'océan, des éléphants et des rhinocéros massacrés par des braconniers sans scrupule.

– Quel gâchis! murmura Louis qui mettait la table. Quand tes enfants auront notre âge, de nombreuses espèces auront disparu!

– On ne les verra plus que dans les zoos ou les musées, compléta M. Pomart. Comme les dodos de l'île Maurice qui ont été exterminés jusqu'au dernier il y a trois siècles.

Lucas frissonna. Il songeait aux générations futures qui, loin de lui élever une statue de bienfaiteur, l'accuseraient dans les livres d'histoire d'être le responsable de l'extinction du poireau...

Piscine contre potager

– On passe à table ! les invita Louis en revenant de la cuisine.

C'était vraiment la fête ! L'oncle avait l'art de recevoir. Il dressait sa plus belle nappe, allumait des bougies et ouvrait toujours des boîtes de gâteaux à apéritif.

– Ils sont délicieux ! apprécia Camille en dégustant un biscuit sec à la garniture d'un rose suspect. C'est sûrement grâce au E 124. Tu devrais les goûter, papa !

– Bah ! dit Louis, il faut bien que les enfants mangent un peu de poison de temps en temps, ça les immunise.

Et il raconta l'histoire de Néron qui, pour éviter d'être empoisonné par surprise, absorbait chaque jour une minuscule dose de ciguë.

– C'est vrai, papa? demanda Lucas.

– Puisque ton oncle te le dit!

– Alors pour habituer mon organisme, il faudrait peut-être que je mange des bonbons avec des colorants?

Pour taquiner son frère, Louis promit à Lucas un kilo de Chamallows pour Noël. Peu après, il posa sur la table une énorme tarte fumante.

– Un peu de flamiche, Lucas?

– Oui. Un gros morceau, s'il te plaît. Tu sais bien que j'adore ça.

Lucas la dégusta par petits morceaux pour mieux en savourer la chair moelleuse. Tout juste sortie du four, la flamiche était vraiment délicieuse!

– Au fait, demanda Louis aux enfants, qu'avez-vous commandé pour Noël?

– Ils ne savent pas encore, glissa Mme Pomart.

– Moi, je sais, dit Lucas. Je veux un trampoline.

– Un trampoline?

– Oui. Pour faire des sauts périlleux et des pirouettes.

Il lança un coup d'œil à sa sœur qui, le nez dans sa flamiche, ajouta :

– Et moi, une piscine.

– Comment?

Stupéfait, M. Pomart s'arrêta de manger. Il se tourna vers ses enfants, sourcils froncés.

– C'est une conspiration! Depuis quand vous êtes-vous concertés, tous les deux?

– Nous? répliqua Camille. On n'a jamais évoqué le sujet.

– Vraiment?

– Juré!

– Juré! approuva Lucas en levant lui aussi la main.

– C'est ridicule! protesta leur père. Il n'y a pas de place pour un trampoline. Et une piscine coûte les yeux de la tête!

– Pas forcément, affirma Camille. L'été, à Carrefour, il existe des piscines gonflables à des prix très raisonnables.

– Mais, euh… s'empêtra M. Pomart, ça nécessite des travaux. Et un permis de construire.

– Pas pour une piscine hors sol, assura-t-elle. Les parents de Sophie ont monté la leur en moins d'une journée.

– Allons, Camille… une piscine pour Noël, ce n'est pas la saison !

– Cet été, papa, tu m'as dit que, pour un tel achat, il fallait attendre une grande occasion : un anniversaire ou une fête. Noël, c'est le moment idéal, non ? L'hiver, on trouve des piscines en solde sur Internet.

M. Pomart se tourna vers son épouse.

– C'est ridicule, Geneviève, non ? Chez nous, en Picardie, l'eau d'une piscine ne sera jamais chaude !

– Pas grave, répliqua Lucas. Tu dis que l'eau froide est bonne pour la santé.

– Et puis aujourd'hui, appuya Camille, il existe des techniques de chauffage écologiques : la pompe à chaleur, les panneaux photovoltaïques…

Sans regarder son mari, Mme Pomart murmura :

– Après tout, une piscine, ce n'est pas une mauvaise idée.

Un nouveau silence s'installa que M. Pomart rompit en levant crânement la tête :

– Eh bien d'accord ! À Noël, vous aurez une piscine.

– Camille aura une piscine, précisa Lucas. Moi, j'ai demandé un trampoline.

– Cette fois Henri, lança Louis en servant une nouvelle part de flamiche à chacun, tu vas devoir sacrifier une partie de ton potager !

– C'est bon. Je vais semer une pelouse sur la moitié de notre terrain. Et installer une piscine et un trampoline.

Lucas et Camille échangèrent un regard incrédule.

– Mais je vous avertis, à la moindre salade écrasée, je démonte le trampoline et je vide la piscine !

– Évite d'utiliser l'eau pour tes poireaux, conseilla Camille. Le chlore, c'est mauvais pour les légumes.

Vaincu, leur père éclata de rire. Alors Lucas sentit confusément que la partie était gagnée.

Mme Pomart ajouta, sans utiliser le conditionnel :

– L'été, ce sera agréable d'installer des chaises longues près de la piscine au lieu de poser des sièges dans l'allée !

– Henri, s'écria Louis en prenant son frère par l'épaule, je crois que tu as perdu la bataille !

– Oui. Je me soumets à la majorité. J'y gagnerai quelques jours de détente dans l'année.

– Cette pelouse, tu l'installeras où ? demanda Mme Pomart à son mari.

– Je la verrais bien à la place des poireaux.

Négociations et pourparlers

De retour de la cuisine, Louis rapporta un magnifique poisson grillé ; il y eut des sifflements d'admiration.

– C'est une tanche. Je l'ai pêchée hier aux étangs de la Somme.

– Superbe ! complimenta M. Pomart en découpant le poisson.

– Pas pour moi, merci, dit Louis.

– Ah ! C'est vrai que tu n'en manges pas.

– Ah bon ? s'étonna Lucas. Pourquoi ?

– Parce que c'est mauvais pour son foie, s'empressa d'affirmer Mme Pomart. C'est un ordre de son médecin.

– Pas du tout, rectifia Louis. Je n'aime pas le poisson, tout simplement.

Sa réponse jeta un froid et Mme Pomart piqua du nez dans son assiette. Conscient d'avoir gaffé, l'oncle tenta de se disculper.

– Beaucoup de pêcheurs ne mangent pas le poisson qu'ils pêchent ! Comme beaucoup de chasseurs ne mangent pas leur gibier. Il n'y a pas de mal à ça, il me semble ?

– Pas du tout, confirma son frère. Je connais des pâtissiers incapables de manger le moindre gâteau.

– Si je comprends bien, reprit Lucas, puisque papa cultive des poireaux, il a le droit de ne pas en manger ?

– Parfaitement ! Mais j'en mange tout de même.

– Et moi, si je plantais des poireaux, je pourrais m'en passer ?

Cette hypothèse déconcerta M. Pomart, son fils s'était toujours désintéressé du jardinage.

— Que ça ne vous empêche pas de vous régaler! reprit Louis. Vous aimez le poisson, les enfants, n'est-ce pas?

— Oui, dit Lucas. Surtout quand il n'y a pas d'arêtes.

— Il n'y en aura pas, assura Mme Pomart en décortiquant la part de son fils.

— Moi, c'est les poireaux que je n'aime pas, reprit Lucas. Mais on m'oblige à en manger!

— C'est curieux, dit Louis, je l'ignorais. D'ailleurs, tu en as déjà mangé chez moi.

— Les tiens sont meilleurs qu'à la maison. Et puis je me force.

— Voilà pourquoi il faut manger de tout, décréta Mme Pomart. Si tu avais refusé de goûter les poireaux de ton oncle, tu l'aurais vexé!

— Oh, j'aurais très bien compris! affirma Louis. Quand j'étais jeune, j'ai failli m'étrangler avec une arête de poisson. Depuis ce temps-là, je n'y ai plus touché. Stupide, hein?

– Une chance que cette arête ne t'ait pas dégoûté de la pêche! dit M. Pomart en reprenant du poisson.

– Lucas a peut-être déjà été malade après avoir mangé des poireaux, suggéra Louis. Il ne veut plus en manger depuis quand?

– Depuis qu'il a trouvé une arête dedans, soupira M. Pomart.

– Oncle Louis? demanda Lucas. J'ai fini mon poisson, je peux avoir encore un peu de flamiche?

– Eh bien, elle a du succès!

Lucas croqua la pâte croustillante et savoura l'intérieur parfumé.

– Dis, oncle Louis, demanda-t-il la bouche pleine, qu'est-ce qu'il faut pour faire une flamiche?

– Il faut...

Louis parut embarrassé; il se tourna vers son frère et sa belle-sœur qui regardaient obstinément ailleurs.

– Eh bien?

– Il faut d'abord faire une pâte brisée avec de la farine, du beurre, un œuf, une pincée de sel et du lait.

– Et puis ?

– Et puis une sauce béchamel avec du gruyère râpé.

– C'est tout ?

– Presque.

– Qu'est-ce qu'il faut encore ?

– Des poireaux.

Lucas s'arrêta de manger.

Ce mélange onctueux, sur la pâte, cette consistance mais aussi cette odeur... était-ce possible ?

Non. Son oncle se moquait de lui.

– Des poireaux ! confirma-t-il au milieu du silence général. De beaux blancs de poireaux cuits à l'eau. Comme je n'aime pas le gâchis, je... hum, j'ajoute toujours un peu de vert.

Lucas resta quelques secondes immobile avant d'avaler sa bouchée. En effet, aucun doute, c'étaient des poireaux.

À présent, il en reconnaissait la saveur. Depuis des années, il mangeait des flamiches chez l'oncle Louis sans savoir qu'elles contenaient des poireaux !

Toute la famille le dévisageait.

Il croqua sa part de flamiche, guetta la moindre nausée, le plus petit dégoût.

Il devait se l'avouer : il avait toujours aimé la flamiche. Et il continuait à l'aimer.

– La flamiche est forcément aux poireaux, expliqua Louis comme pour se disculper. C'est une spécialité picarde.

Lucas haussa les épaules et déclara :

– Je n'aime pas les poireaux. Mais j'adore la flamiche.

L'aveu détendit l'atmosphère.

– Eh bien, si notre fils commence à aimer les poireaux…

– La flamiche, rectifia Lucas.

– C'est bizarre, dit Camille. Je ne savais pas qu'il y avait des poireaux dans la flamiche. Et toi, maman?

– Moi? Euh... Je faisais semblant de l'ignorer.

– Et toi, Henri?

– Ma foi, comme un cuisinier ne révèle pas ses secrets, je n'ai jamais demandé à mon frère ce qu'il mettait dans sa flamiche.

Louis sourit d'un air entendu et reprit après un temps :

– Si je comprends bien, vous avez obligé Lucas à manger des poireaux pendant des années? Le pauvre!

– Oh, se récria Mme Pomart, il n'est pas à plaindre!

– Je me mets à sa place.

Les yeux dans le vague, Louis raconta :

– Après l'incident de l'arête, mes parents se sont obstinés à me faire manger du poisson. C'était terrible. Tu te souviens, Henri? Maman refusait que je quitte la table avant que j'aie vidé mon assiette. J'avais imaginé plusieurs stratagèmes pour passer au travers de ce supplice. Parfois, je faisais le bonheur du chat. D'autres fois, je glissais le poisson au fond de la poubelle. Ou je le jetais par la fenêtre. À l'école, le vendredi, je simulais des malaises à la fin de la matinée pour échapper à la cantine. Et je restais à l'infirmerie pendant le repas…

– Tous les vendredis?

– Sauf quand on nous servait de l'omelette. Mais s'il y avait du poisson au déjeuner, je le devinais à l'odeur dès la récréation de dix heures.

Lucas se sentit une brusque compassion pour son oncle.

– Il faut nous comprendre, Louis, se justifia Mme Pomart. C'est important qu'un enfant goûte à tout. Une bonne hygiène de vie passe par une alimentation variée.

Louis considéra son frère avec un petit sourire.

– Chacun a des goûts qui lui sont propres. Toi, Henri, ce n'est un secret pour personne que tu détestes les yaourts.

Lucas vit le visage de son père rosir au-dessus de sa barbe.

– C'était un secret, avoua-t-il sans avoir l'air fâché.

Ainsi, son père n'aimait pas les yaourts! Lucas l'ignorait. À présent, il se souvenait des dialogues avant le dessert...

– Un yaourt, Henri?

– Non, merci. Pas ce soir.

Ou encore :

– Ah oui, merci. Avec plaisir!

Mais il abandonnait toujours son yaourt à Camille, qui en raffolait. En y repensant, Lucas ne se souvenait pas d'avoir vu son père manger un seul yaourt.

La soirée chez l'oncle Louis se prolongea plus tard, beaucoup plus tard que d'habitude.

On se sépara en prenant rendez-vous pour Noël. Avant de les raccompagner à la voiture, l'oncle demanda aux enfants :

– Et moi, que voulez-vous que je vous offre pour Noël?

– Tu pourrais peut-être participer à l'achat de la piscine ou du trampoline, suggéra Camille après un temps de réflexion.

– Le trampoline ? Je vous l'offre ! Et j'aiderai Henri à l'installer.

– Voyons Louis, il n'en est pas question ! protesta son frère.

– J'insiste. Et au printemps, quand tu monteras la piscine, tu m'inviteras pour la journée. Je te donnerai un coup de main.

– Je t'assure, Louis, que je saurai m'en tirer !

– Bon. Alors sache que ma demande est très intéressée. Parce que...

Il désigna son étroit lopin de terre.

– ... ici, je me vois très mal installer une piscine. Et j'ai toujours rêvé d'en avoir une !

Fin des hostilités

À Noël, après avoir mangé une savoureuse flamiche confectionnée par l'oncle Louis, M. Pomart donna solennellement aux enfants une grande enveloppe. Elle contenait une feuille de papier sur laquelle était inscrit, en lettres capitales :

BON
POUR
UNE
PELOUSE

Au verso, il avait dessiné le plan du terrain et tracé en pointillés l'emplacement du trampoline et de la piscine.

À minuit, tout le monde gagna le jardin pour admirer les épicéas de l'allée, décorés de guirlandes lumineuses. Près du potager avait été planté quelques jours plus tôt un grand sapin. Les deux énormes paquets installés à ses pieds auraient eu du mal à tenir dans la salle de séjour : une piscine et un trampoline !

Les adultes furent les premiers à ouvrir leurs cadeaux. Les enfants, eux, hésitaient à approcher ces deux monstres qui semblaient se faire face.

— Papa ? murmura Lucas, la gorge nouée. C'est un Noël fantastique…

— Ça a l'air d'être un sacré trampoline, dit Henri à son frère. Tu n'as pas choisi le premier modèle !

— Tant qu'à faire… Où allons-nous l'installer ?

— Là-bas, au fond du jardin.

Depuis un mois, M. Pomart n'employait plus le mot potager.

— En gros, à la place des poireaux.

Ceux qu'il avait semés en septembre n'étaient pas sortis. Et il en avait fait son deuil. Cela n'avait pas empêché la famille Pomart de manger des poireaux – moins qu'avant, et Lucas avait apprécié.

– Et la piscine ? demanda Louis. Elle semble d'une taille imposante, elle aussi !

– Trois mètres sur six. On l'installera en mai.

– Alors tu ne cultiveras plus de légumes ?

– Tu veux rire, Louis ? Bien sûr que si !

– Mais où vas-tu les mettre ?

– Bah, il reste encore de la place ! Sept cents mètres carrés, j'ai calculé.

Lucas piétinait d'impatience. Il attendait que son père découvre son cadeau. Posé à côté du trampoline et de la piscine, le paquet était si petit que personne ne l'avait vu.

– Je crois que tu oublies quelque chose, papa, murmura-t-il.

– Vraiment ? Ah, oui ! Je suis très gâté, cette année.

Tout le monde se pencha, même Camille, qui n'était pas au courant.

M. Pomart défit le nœud de ficelle rose, et Lucas crut voir la barbe de son père frémir sous le vent qui soufflait du nord.

– Ça alors ! s'exclama-t-il, stupéfait. Des paquets de graines ?

Oui. Des dizaines de paquets de graines de poireaux.

Des malabars d'Elbeuf, des longs de Mézières, des monstrueux de Carentan, et bien d'autres variétés que M. Pomart ne connaissait pas.

Une étincelle d'émotion s'alluma dans ses prunelles.

– Je ne pourrai jamais planter tout ça ! Surtout que le potager est plus petit.

– Je t'aiderai, promit Lucas. Nous ferons de la poirette ensemble. Barbe Bleue m'a expliqué comment la dédoubler.

– Il y en a vraiment beaucoup ! dit son père. Tu m'autorises à en donner quelques sachets à madame Dijon ?

Lucas acquiesça vigoureusement.

M. Pomart se pencha vers son fils, le souleva de terre et l'embrassa. Dans le froid de décembre, sa barbe restait chaude ; elle était à la fois piquante et douce.

Et, tandis qu'ils rentraient dans la maison illuminée, M. Pomart murmura à l'oreille de Lucas :

– C'est vraiment un très beau cadeau. Tu ne pouvais pas me faire plus plaisir.

Ces paroles ressemblaient à un armistice. Peut-être même à une déclaration de paix.

Recette de la flamiche
de l'oncle Louis

1/ Mettre vingt minutes au four une pâte brisée garnie de haricots secs (pour empêcher la pâte de lever).

2/ Faire cuire 10 blancs de gros poireaux pendant une demi-heure dans de l'eau bouillante salée.

Les égoutter.

3/ Mettre les poireaux dans une casserole à fond épais.

Y ajouter un bol de sauce béchamel, une bonne cuillerée à soupe de gruyère râpé et de la crème fraîche.

4/ Mettre le contenu de la casserole sur la pâte brisée cuite (après avoir ôté les haricots secs!).

Saupoudrer de gruyère râpé.

5/ Faire gratiner dix minutes au four.

Pour une tourtière de 30 centimètres de diamètre environ :

Pâte brisée : 300 g de farine, 150 g de beurre, 1 œuf, 3 cuillerées à soupe de lait et une pincée de sel.

Sauce béchamel : faire fondre 50 g de beurre dans une casserole. Y ajouter 70 g de farine. Tourner et laisser cuire trois minutes. Verser du lait bouillant (½ litre environ) tout en continuant à tourner. Laisser mijoter ¼ d'heure. Saler. Poivrer.

La sauce béchamel doit être épaisse.

TABLE DES MATIÈRES

☁ L'AUTEUR

Christian Grenier est né à Paris. Depuis 1990, il vit de sa plume dans le Périgord.
La grande Guerre des Poireaux est une fiction qui puise ses racines dans la réalité familiale. Le roman a pour origine… les phobies de ses propres enfants pour certains légumes ! À dix ans, ils passaient l'été et les week-ends dans un village de Picardie, où leur grand-père occupait son temps à bichonner un grand potager.
En Rageot Romans, Christian Grenier a publié *La Fille de 3ᵉ B* et *Le Pianiste sans visage*. Il est aussi l'auteur en Heure noire des *Enquêtes de Logicielle* dont vous retrouverez, au collège, *L'Ordinatueur* !

☁ L'ILLUSTRATEUR

Nicolas Julo est né en 1966 à Paris. Dès qu'il a su tenir un crayon, il a décidé de devenir illustrateur.

Il vit près de Chambéry. Là, entre deux dessins, il pratique l'escalade, la spéléologie, et aime les balades avec ses enfants.

Les histoires qu'il préfère privilégient l'humour et l'imagination.

Retrouvez la collection
Rageot Romans
sur le site www.rageot.fr

PAPIER À BASE DE
FIBRES CERTIFIÉES

RAGEOT s'engage pour
l'environnement en réduisant
l'empreinte carbone de ses livres
Celle de cet exemplaire est de :
580 g éq. CO_2
Rendez-vous sur
www.rageot-durable.fr

Achevé d'imprimer en France en avril 2014
sur les presses de l'imprimerie Hérissey
Couverture imprimée par Boutaux (28)
Dépôt légal : mai 2012
N° d'édition : 6080 - 03
N° d'impression : 122126